新型コロナで世の中がエラいこ

関西大学がいろいろ考えた。

目　次

まえがき

いま、新型コロナウイルスによって世界が大きく変わってしまいました。世界のあらゆる側面が、このコロナ禍の影響を受けています。世界での死者は240万を超え、日本でも7000人を超える方が亡くなっておられます(2021年2月15日現在)。いまだトンネルの出口が見えない中、我々人類は、どのように進めば良いのでしょうか。関西大学が、新型コロナについていろいろ考えた結果が、ここにまとめられています。

元来、人類の歴史は、ウイルスや細菌との戦いでもありました。人と人が集まるところは必ず感染症の温床となります。感染症との戦いによって消えていったと考えられる文明がある一方で、多くの人類は、その闘いを乗り越えてきました。

コロナ禍の収束のためには、もちろん、治療や予防あるいは感染防止のための手段の開発が一義的に必要でしょう。そうすると、医学や薬学、感染のメカニズム、感染の広がりの予測に関する研究が重要になります。もちろん、これらの分野での研究成果は極めて重要です。同時に、コロナ禍での社会、生活を支える上では、医薬系だけではなく、多くの分野で考えなければならないことがたくさんあります。例えば、感染拡大の中での行政のあり方と、その施策のもとに暮らす大衆の心理の問題は大切で、その中での人の行動の制御は難しい課題です。さらに、新型コロナへの不安が罹患者に対する偏見や差別を引き起こさないようにする必要もあります。心理学や社会学、行政学の観点からの考察も大きな知見になると思われます。経済、ビジネスへの影響はいうまでもありません。経済的な損失は多くの犠牲者を生み、疾病そのものより深刻になる可能性があります。さらには、文化や芸術にもコロナ禍は影響を及ぼしています。疫病との戦いの歴史に学ぶこともたくさんあり、我々が精神面でも、どのように進化したのかが問われるときでもあります。

私たちは、このような大きな混乱と悲しみの中でも、私たちの生活を続けていかなくてはなりません。そのためには、人類の英知を集めて、この混乱をいち早く終息させなくてはなりません。しかし、これは単にワクチンや治療法が確立され、新型コロナを病気として治療できるようになったということだけではなく、新型コロナが起こったということに対して、現代社会がどのように対応し、人々を守ったのかという問題です。ひとつひとつの研究分野が、コロナ禍に対して、いまできることを実行する必要があります。このような積み重ねが、人類の新型コロナに対する闘いの歴史につながっていくものと確信します。

関西大学を含めた教育の場も、活動のあらゆる面で影響を受けています。教育や研究に支障を来していることは事実です。一方で、高等教育の場は、このようなコロナ禍に対して、ただ影響を受けるだけの場であってはいけません。高等教育の社会に対する役割が、教育、研究と社会貢献であることから、高等教育の場は、コロナ禍に対しても、社会に貢献できる発信をしなければなりません。

関西大学には、総合大学として、人文系、社会科学系、理工系の多数の研究者の方がおられます。それぞれの研究者の皆さんが、ご自身の専門としている分野の視点でコロナ禍について議論をいただくことができます。専門的な視点からの奥深い考察を得ることができるでしょう。一方で、総合大学の強みを生かして、異なった専門分野を跨いだ、interdisciplinary（学際的）な視点から、また、複眼的な視点でコロナ禍を捉えて議論をしていただくことも可能です。いままで気がつかなかったような解釈や解法が生まれるかもしれません。このような様々な成果は、新型コロナに対する有益な、多面的な知見を与えてくれています。

　さらに、これらの研究の成果は、いまの世代への教育に用いられなくてはならないとともに、アーカイブして、次の世代にも伝えられなくてはなりません。このような活動を担う場として、大学は適している上に、その責務を負っているといえます。

　南インドの風土病であったコレラは、人の往来の広がりにあわせて、世界に広がりました。この間、コレラにより世界で多くの方が亡くなりました。同時に、医学的な知見と治療薬の確立による完全なコレラの克服の前に、病気そのものによらない悲劇が幾度となく繰り返されたことも事実です。未知のものに対する恐怖は、ときには、人間から正気を奪うことがあります。コレラの世界的大流行の時代から150年がたっています。コロナ禍に対して、人の心のあり方は進歩したのか。次の世代の人々から、いまの世代のコロナ禍への対応が、まさに問われるところではないでしょうか。次の世代に何を残すのかという議論も、コロナ禍のもう一つの課題として考えなくてはなりません。

　関西大学がいろいろ考えた、ここに述べられている内容が、新型コロナのもとで生じた社会の諸問題の解決の一助となることを祈念して、はじめの言葉とさせていただきます。

関西大学学長　前田裕

第１章

「最悪シナリオ」はどこにある

関西大学社会安全学部　教授

高鳥毛敏雄(たかとりげ・としお)

1981年大阪大学医学部卒。大阪府衛生部、大阪府立成人病センター、大阪府立羽曳野病院、大阪府茨木保健所および松原保健所の勤務を経て、1988年大阪大学医学部公衆衛生学講座助手、準教授、特任教授。2010年から現職。阪神淡路大震災、堺市集団下痢症事件などの調査にあたる。1989年から大阪府・大阪市の保健所の結核対策に関わる。日本公衆衛生学会理事、感染症対策副委員長、日本社会医学会理事長。

関西大学社会安全学部　教授

山崎栄一(やまさき・えいいち)

1971年大阪市生まれ。京都大学博士(情報学)。専攻は、憲法・行政法・災害法制。災害法制全般に関心があるが、特に、被災者支援法制、高齢者・障がい者等の災害時要配慮者の支援、災害時における個人情報に関する調査・研究を行っている。

著書としては、『自然災害と被災者支援』日本評論社(2013年)〔2014年　日本公共政策学会　著作賞　受賞〕詳細な業績は、ホームページ(http://www.eiichiyamasaki.com/)を参照。

新型コロナのクライシスが問いかけているもの

高鳥毛敏雄

ポイント

- 新型コロナウイルス感染症の流行は人間がつくった社会環境により生じたものである。
- 感染症の流行の対処は、政治経済行政（公衆衛生）制度に規定されている。
- 感染症の流行を規定しているのは社会を構成する人々の理解と協力と行動である。
- 新感染症に対しては医学科学が進歩したとしても、それに対処するのは社会システム（公衆衛生制度）であり、その存在の重要性を再認識する必要がある。

人間社会がもたらした新型コロナウイルスの流行

人間の周りには無数の微生物がいるがその中で流行を続けることができるものはごく一部です。微生物は生存のために環境に適応する変異を続けています。新型コロナは我々の社会生活が伝播に適した条件を与えたことで世界的流行となったと考えられます**（図1）**。新型コロナウイルスのＳＡＲＳウイルスが流行しましたが、ＳＡＲＳは病毒性が強すぎたため人間社会の中に残ることができず、消えてしまいました。

新型コロナウイルス感染症（以下、ＣＯＶＩＤ-19と略す）が流行し、このウイルスの生物学的な側面に目が向きが

図1　自然界と人間社会とウイルスの関係

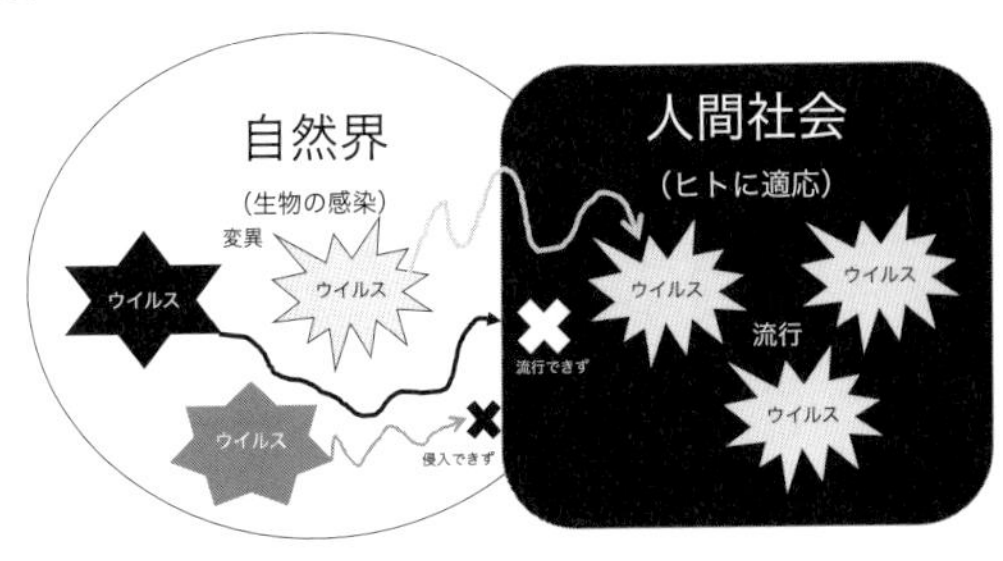

筆者作成

ちですが、流行を決定しているのは人間社会の要因が大きい。ウイルスが流行しやすい条件を人間社会がつくっているからです。また、このウイルスの免疫を持っていない人がほとんどであるということも流行が拡大している要因です。COVID-19は、20世紀につくりあげてきた人間の生活スタイルが流行をもたらしています。現代社会がつくっている都市空間や都市社会はこのウイルスにとって最適の環境を提供しています。居酒屋、飲食店、カラオケ、遊興施設、劇場、スポーツ施設、会社、病院、福祉・介護施設、学校などです。飛行機や高速鉄道やバスを使った大量、高速の移動が容易になったことも影響しています。現代社会がめざしてきたグローバル経済社会の構造が短期間にCOVID-19のパンデミック（世界的大流行）を産み出してしまったと言えます。COVID-19の流行に対して、医学的な手段に強い期待が寄せられていますが、医学・医療は二次的なものにすぎません。一次的なものは人間がつくってきた経済および社会の活動であり、それを止めれば収束することは明白です。

COVID-19のウイルスをどう受けとめるべきか

COVID-19は、殺傷力の弱いウイルスです。弱いウイルスほど厄介なものはありません。新感染症としてＨＩＶがありますが殺傷力は弱い。人間が他の感染症と闘う免疫機能を失わせるから恐いウイルスなのです。また、結核菌と、ハンセン病を起こす「らい菌」はほぼ同じ種属の菌です。結核菌の方が遥かに患者の致命率が高いが、患者の致死率がとても低い「らい菌」で起こるハンセン病の患者の方をむしろ恐れてきました。

新型コロナウイルス感染症は、感染した人の約20％は無症状であり自然治癒します。だから厄介なのです。飛沫、接触で起こる呼吸器系の感染症であることも対応を難しくしています。人間の社会活動は会話する、飲食する、集まる、群れることで成り立っています。そのため、国民や事業者などの社会全体の人々の協力がないと抑えることができない感染症です。さらに、近代社会がつくりあげた気密性を高めた都市空間および構造物は人々が密集する環境をつくり出しています。大多数の人々が都市に集中し、その都市がＣＯＶＩＤ-19の流行に最適な3密（密集、密閉、密接）環境を提供しています。つまり、ＣＯＶＩＤ-19が起こる環境を世界で最も繁栄している都市が提供しているから厄介なのです。その流行を防ぐには、基幹的都市の機能を止める対応を強いられます。中国の交通の要衝である武漢に爆発的に流行したのは偶然とは言えません。中国南部の古代からの十字路です。武漢のＣＯＶＩＤ-19の流行を、中国政府が強権を発動して都市を封鎖し、都市活動を止めさせたことで収束させています。人間の社会活動により流行する感染症であることを実証してくれています。その後、イタリアの主要都市から英国のロンドン、フランスのパリなどに流行が拡がり、世界最大級の経済都市のニューヨークに波及しています。いずれも都市機能を止めることで対処しています。ウイルスが恐いかどうかは人間の側からの見方です。ウイルスがパンデミックを起こすかどうかは人間の行動と社会活動に依拠しているのです。

日本の新型コロナ対策の特異性

日本では2020年1月16日に最初の感染者が報告されています。その後、外国船のダイヤモンド・プリンセス号が横浜港に着岸し、多数の感染者が発生し、対応が迫られました。また、武漢に居留していた日本人をチャーター機で帰国させています。また1～3月に東京の屋形船、大阪のライブハウスなどでクラスター（感染者集団）が発生しています。欧米諸国と比べて日本は中国と近くその流行状況が直に伝わってきていました。

日本ではダイヤモンド・プリンセス号の乗船者を船内に停留させ、感染者の対処を行いました。SARSと同じ対応では歯が立たないことを認識させられました。多数の感染者・患者を国内の医療機関で対処したことにより感染者の治療や感染予防対策の経験を積むことができ、その後の国内の感染者の対応につながっています。SARSと異なる対応をとる必要があると判断できた背景には、世界保健機関（WHO）西太平洋地域事務局でSARS対策にあたった専門家の多くが日本人であり、感染者が発生してから厚生労働省に集められていたことがあります。この感染症の感染伝播の分析をした結果、無秩序にPCR検査を実施して陽性者を隔離するやり方では封じ込めることのできない感染症であると判断されました。そのため、浮かび上がった感染者を手がかりに、徹底した聞き取り調査を行い、その感染を受けたと思われる場を遡及して水面下にいる濃厚接触者を戦略的に徹底的に検査して、次の感染の連鎖を断つというやり方をとること（積極的疫学調査）が重要であると判断されました。PCR検査の対応処理能力が少なかったことからこの選択肢しかなかったとも言えます。この方式を日本が実施できたことには偶然というか、幸いな条件がそろっていたことがあります。第1には、1996年に腸管出血性大腸菌O157の全国流行があった折に、日本には感染症対策をマネジメントできる専門家が存在していないことが問題視され、1997年に国立感染症研究所が設置されると同時に実地疫学調査ができる専門家を育成するプログラム(field epidemiology training program)をスタートさせていたことがあり、クラスター対策を担える人材の研修と育成が実施され、人材が蓄積されてきていたことがあります。第2には、1999年に結核患者が増加したことから、保健所の結核対策が結核菌情報を重視したものとされ、積極的疫学調査を行うものに切り替えられていたことがあります。結核を診断した医師に、直ちに患者の発生届け出を提出させ、届け出を受けとった保健所は一両日中に保健師が患者面接をして積極的疫学調査を実施することが日常的なものとなっていました。接触者健診にあたっては保健所長や保健師および事務職員を含めて組織的に対応する体制とされていました。保健所は、全国にあり、全国的に画一的、一律的にクラスター対策ができる状況ができあがっていたのです。これらを組み合わせるとすぐにCOVID-19に対するクラスター対策が行える体制ができていたことになります。

厚生労働省は2020年2月25日ににクラスター対策班を設置して、クラスター対策の必要性とその意義についてメモをつくり、それを厚生労働省クラスター対策班のメンバーの数人が入っている日本公衆衛生学会感染症対策委員会に提示しています。日本独自のやり方に批判的な意見もありましたが、クラスター対策を早急に実施するしかないとの結論となり、自治体や保健所にクラスター対策の実施を呼びかける声明文が作成され3月4日に出されています。それを受けて全国保健所長会も動き出し、COVID-19対策として全国の保健所が一斉にクラスター対策を実施することとなりました。3月中旬よりCOVID-19の感染者数が急増した折には、公衆衛生学会は3月27日付で「新型コロナウイルス感染症対策についての声明(第2報)」を出し、流行拡大阻止と爆発的流行に備えた医療体制の整備を早急に行うことを自治体および厚生労働省に要望しています。次の2点が内容です。一点目は、COVID-19の爆発的な流行拡大を阻止するためにクラスター対策を継続し、徹底強化すること、また国民にクラスター対策に積極的に協力していただくようお願いするというものでした。二点目は、万が一の爆発的な流行に備え、医療体制の整備を至急に進めてもらいたいというものでした。そのため厚生労働省、都道府県、医療機関に対し、重症患者に対する病床の利用計画策定と必要な医療器材確保とその供給体制の確立を早急に進めることをお願いするものでした。感染者がさらに急増することに備えて、自治体には保健所を応援するために全庁的な人員配置計画を策定して実施することをお願いしています。

新型コロナ対策で問われた医療体制

感染症法の正式名称は、「感染症の予防及び感染症の患者に対する医療に関する法律」とされています。この名称は、伝染病予防法下では患者の医療提供が疎かにされていたことから法律名に医療体制の整備に力を注ぐことをサボらないように明記されたために、長くなったものです。その反省から、感染症の患者に対して適切な医療を提供することが強く求められています。もちろん感染症の予防が第一義的な目標として強く求められています。しかし、日本の新型コロナ対策に対する医療体制は十分とは言えない状況にありました。日本の感染症病床の多くは結核病床として設けられたものでした。結核患者数が減少するとともに結核病床が大幅に減らされてきています。感染症法が成立して感染症指定医療機関が整備されましたがその数は少なく、また感染症の患者を診療できる医師の供給体制が整えられてきていませんでした。日本の医療体制に偏りが存在しているのです。多くの医療機関が、高度経済成長期の、医療保障制度が整ってきた１９７０年代につくられてきたものであるからです（**図２**）。病院の増加により、医師不足が社会問題となり、多くの医科大学が新設され、既存医学部の定員が増やされたのも１９７０年代のことです。増加した医療機関には、救命救急医療、高齢者の入院治療、循環器病・悪性新生物などの生活習慣病、難治性疾患の対応が求められてきています。他方で、結核病床は、結核患者が減少してきたために一般病床に転換されてきました。そのために、日本の医療体制は、感染症に対応するには弱い体制となってきていました。１９９０年代に、ＨＩＶ感染者が増加した折も受け入れてくれる医療機関がないことから、患者団体が厚生省にＨＩＶ感染者の診療を担う拠点病院の整備を求めたことがその現れです。また、医学教育や医師の研修を担う大学病院や総合病院の多くは、結核患者の診断・治療には対応しないとするところが増加してきていました。

ところが、１９９０年代から新型インフルエンザウイルスなどの新感染症のパンデミックへの対応が求められました。欧米の病院は一般外来を行っていませんが、日本の病院は外来を行っています。この点も日本の医療体制の課題であり、感染者が発生すると、院内感染が頻発して医療崩壊となる可能性がありました。そのために、一般診療とは別に「発熱相談センター」や「発熱外来」を設けて対応する体制がつくられました。ＣＯＶＩＤ-19が発生した折に「帰国者・接触者相談センター」や「帰国者・接触者外来」が設けられたのはこのためです。「帰国者・接触者相談センター」の多くは保健所が担っています。この方式により、日本ではＣＯＶＩＤ-19の感染者数が少ない時期には医療崩壊を最小限に防ぐことにつながっています。しかし感染者数が多くなり、保健所の対応できる限度を超えると院内感染が増えていくことになります。

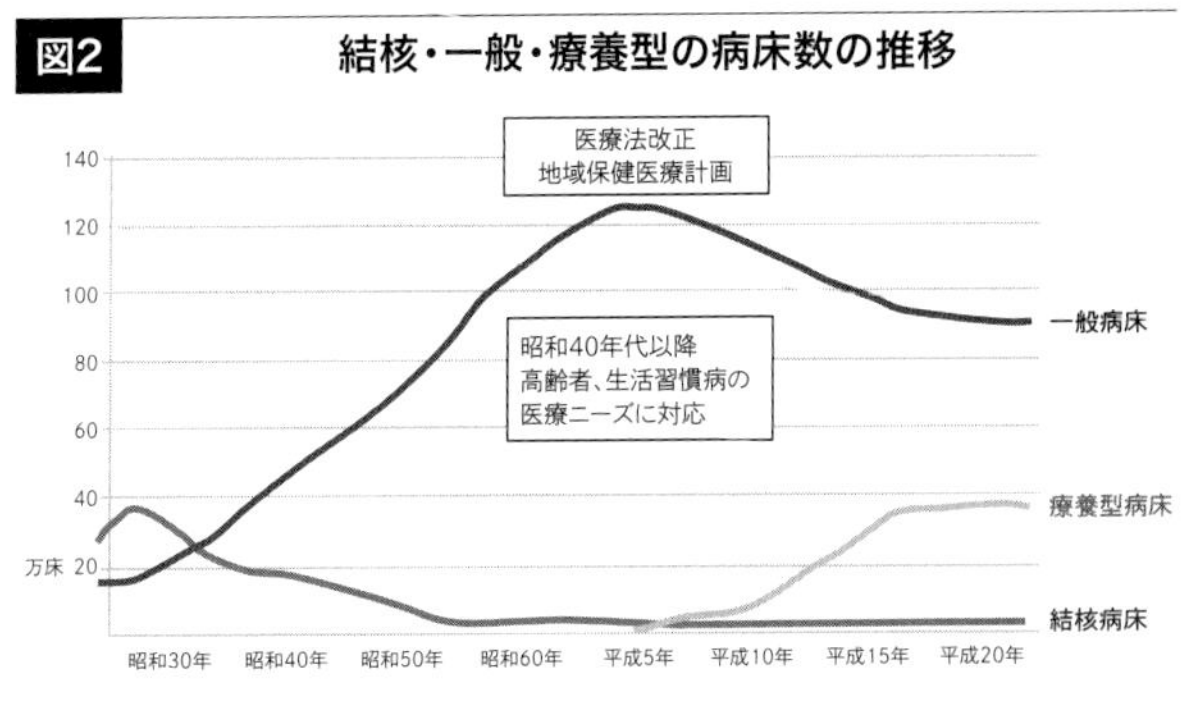

図2　結核・一般・療養型の病床数の推移

出典：厚生省（厚生労働省）医療施設調査をもとに作成

日本の新型コロナの感染者対策の背後にあるもの

日本の新型コロナ感染者への対応の特異性は、伝染病予防法を１００年間放置してきたことから生じています。現感染症法では、感染者や患者の人権の尊重と医療の提供に取り組むことを強く求めています。感染者の人権を無視して隔離や行動の制限を強制することを行政職員の判断だけで行うことは認められていません。感染者の管理に警察や自衛隊を動員するということも特別なことがなければ認められていません。また、個人情報の監視・管理に大きな制限が加えられています。

そのために感染者の情報の収集を徹底しにくいという難点があります。感染症の中のＨＩＶ感染者の場合実名を明らかにしない権利も認められています。戦後の日本国憲法が制定された後も明治時代の感染症対策の考え方を改めることなく継続したことで、感染者・患者の人権の尊重や保護を怠ってきたことが裁判で問われ、国が敗訴しているからです。日本の感染症対策を諸外国の対策と単純に比較できない歴史的な背景を理解して感染症対策を行うことが求められているのです。

感染症に対する今後の医療体制に対する期待

日本の新型コロナ対策が、成功しているのか、大丈夫なのかについては、まだ流行の真っ只中にあることもあり、わかりません。クラスター対策を徹底することと、国民が3密を回避する行動をとることにより感染者の急増を抑えることに一応成功しています。感染者数が増加してきていることから、今後は大きく政策転換を図ることが求められています。市中感染症の段階になってきているために、感染源が多様化、多源化してきているからです。クラスター対策以外の方法を取り入れていく必要があります。そのためには、接客業などの民間事業者の取り組みと協力がより求められます。また、地域医師会や医療機関と保健所との新たな体制づくりが求められています。医療体制についてはすでに一般病院の中には感染者の相談や検査、さらに入院を引き受けるところが出てきています。一般医療機関が、COVID-19対策に役割を果たすことに乗り出してきてくれています。これは、日本の感染症対策が、保健所や感染症指定医療機関任せであった体制から、医療界全体で対応するという新たな段階に入ってきていることを示しています。日本の感染症対策において、結核対策を国を挙げてつくった時以来の医療体制の大きな動きとなることを期待しています。

結核対策の枠組みを超える

日本の感染症対策の組織や人員などの基盤は、10万人以上の死亡者を40年余り発生し続けた結核対策によりつ

図3　**日本の結核の死亡者数の推移と結核対策の変遷**

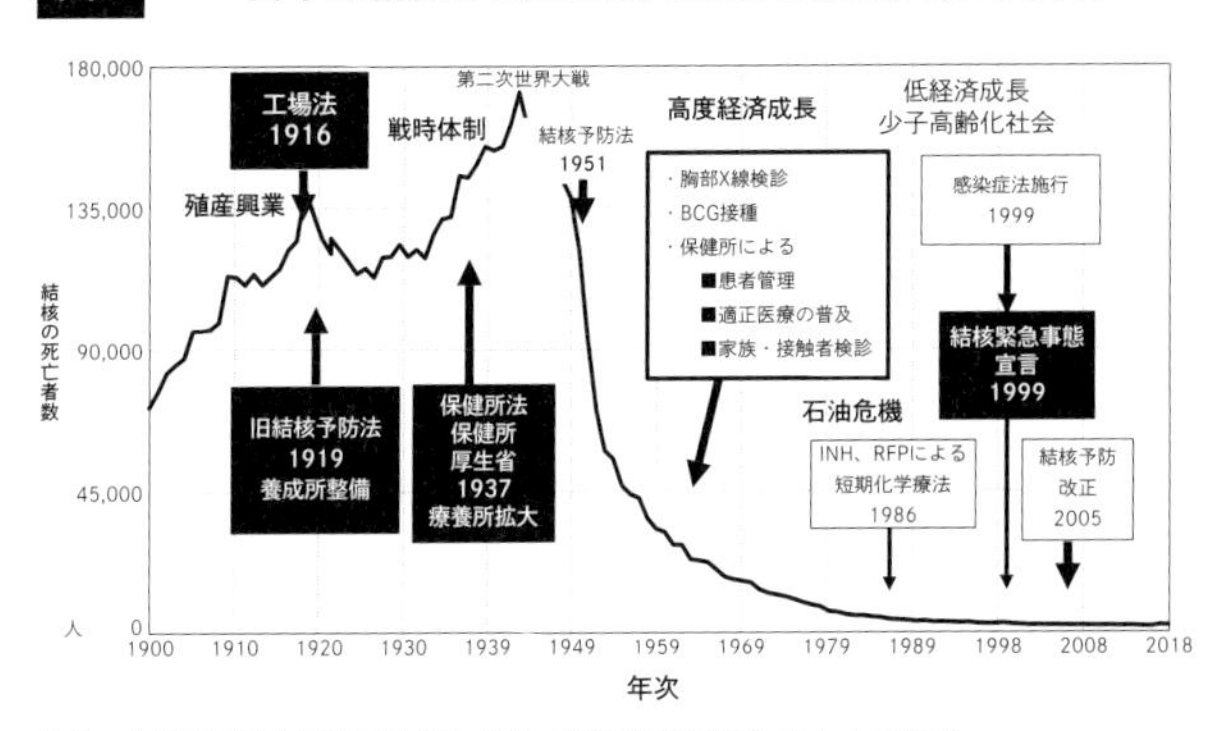

出典：公益財団法人結核予防会編 結核の統計2019資料編をもとに作成

くられてきたものです。公衆衛生体制、病床、労働衛生、医療保障制度などがあります。現在でも会社や学校の健診で胸部X線写真を撮っているのは結核対策のためです。結核は、当初は富裕層の病気として保養施設がつくられたことからはじまります。それが労働者（女工）の病気に、戦時体制期には軍人の病気に、そして国民誰しもがなる病気になりました。現在でも高齢者や社会経済弱者や外国人労働者の病気として重要な感染症です。その対策を振り返ると、大正時代に労働者の結核対策のために工場法の制定と一般人向けの公立療養所の整備が進められています。昭和期には厚生省・保健所などの現在の公衆衛生体制がつくられました。国民運動として進める必要性から恩賜財団として結核予防会も設けられました。戦後は、すべての国民が入院治療を受けられるように国立療養所や医療保障制度が整備されています。また結核の早期発見のために胸部X線検査の受診を国民に求めています。結核は、日本の経済振興と軍国化により増加し、その結果国家経済と国防に影響する感染症となりました。そのためにに国家を挙げてつくられてきたものです（**図3**）。

その遺産が現在のCOVID-19の対策を行えることにつながっ

ています。結核患者の年間発生数が1万人を下回るのは時間の問題となってきていることから、結核対策に依存した感染症対策の枠組みを新たなものへと進展させることが求められています。現在、医療機関や医療従事者は大幅に増えています。医療機関の建て替えが進められてきています。感染症に対処できる病室も増えてきています。病院には院内感染を制御する組織を設けているところが増えてきています。医療従事者に対する大学の卒前と卒後の教育研修体制も整えられてきています。このような基盤がそろっていることから、COVID-19の流行を契機に感染症に対処できる医療体制とすることが可能となっています。

新型コロナの動向を決定しているのは国民である

日本の新型コロナ対策は大丈夫かどうかは、誰もわかりません。感染の動向を決定しているのが国民一人一人であるからです。一人一人の国民の行動が総体としての感染者数の増減に影響していることは、これまでの感染者数の推移をみればわかると思います。現在のコロナ対策の誤りは、COVID-19の下流にある感染者や患者に対応している医療機関の逼迫度をもとに政策が進められてきていることです。それは感染症対策として後手に陥ることになります。

感染症対策の基本は上流対策にあります。公衆衛生制度が、19世紀に英国でつくられたのは上流対策をしないと問題が解決できないことがわかったからです。福祉、医療の施設や制度は古くからつくられてきたもので、これは貧困者、病者に対するものです。19世紀の英国のロンドンでは貧困者と病者があふれかえる深刻な状況に陥っていました。そこにコレラのパンデミックが付け加わり、下流対策の福祉と医療が破綻してしまったのです。そのために、飲食物の管理、上下水道の整備、過密・不衛生な住環境の改善をするという社会政策を実施することがはじめられたのです。これが上流対策、公衆衛生制度のはじまりです。治療する医薬品もなく、医療者や病院が少ない中で、コレラのパンデミックを上流対策により収束できたことで、公衆衛生制度が医療制度とは別の制度として位置づけられることになったのです。

日本の描いているシナリオの難題

シナリオとしては2通りが考えられます。一つは、中国の武漢のようにオーバーシュート(爆発的患者急増)して多数の感染者が発生し、一時的に多数の死亡者が発生するのもやむなしとするというシナリオです。いわば短期決戦で、一時的に社会を全停止する対応です。わかりやすい展開であり、社会の復旧は早くなります。二つ目は、なだらかな増加に留めさせるというシナリオです。日本は、このシナリオをとっています。社会の急激な影響は少なく、死亡者数も少なく留めることができますが、気の長いやり方です。このシナリオは、社会資源が整い、人々の協力が得られる社会でないととれないシナリオです。このシナリオの難しさは国民や社会が辛抱強く新しい生活様式を身につけて社会がまとまって対応することが求められることです。感染者数がジワジワ増加するのに合わせて社会の予防行動の質を高め、社会のレジリエンスを少しずつ高めていくことが求められます。

２０２０年1月には数人、数十人であった感染者数が、毎日数千人の感染者が発生する状況になってきています。毎日の感染者数が増えていくのは市中の感染者が増えてきているためです。日々、感染リスクが高くなってきています。それに対処するには、日々、国民の感染予防行動の質を高めていくことが求められます。社会のレジリエンスを高めても、それを上回る感染リスクが付け加わってきています。同じ生活をしているだけでは感染者の増加のペースを緩めることが難しくなってきています。ＣＯＶＩＤ-19が日本に来襲してから、時間とともに身の回りに感染者がいる確率が高くなってきています。この状況を理解してワクチン接種が徹底されるまで国民が一丸となって対処するしかありません。目標は、感染者になってもクラスターをつくらない、感染者の急増を防ぐということに変化していることも理解する必要があります。

新しい社会災害としてのCOVID-19パンデミック

現代社会における災害として一つには自然災害があります。また原発事故のような社会災害があります。それでは、ＣＯＶＩＤ-19流行はどう分類すべきなのでしょうか。これを公衆衛生問題とだけ考えがちですが、公衆衛生問題の多くは社会災害であるのです。ＣＯＶＩＤ-19も社会災害と考えるべきであると当初から考えています。それも、大都市災害と考えるべきであると考えています。ＣＯＶＩＤ-19は、ヒトからヒトにだけ感染するものであり、動物を介して感染するペストなどのようなものでもなく、飲食物を通して感染するコレラとも異なります。人間の社会活動が媒介になりヒトからヒトへと感染が拡大しています。ヒトの行動を変えることでしか対処できない新たな社会災害であり、都市災害と考えるべきです。そのためＣＯＶＩＤ-19の処方箋は都市機能を停止する

図4　大都市圏内と大都市圏間の感染の伝播

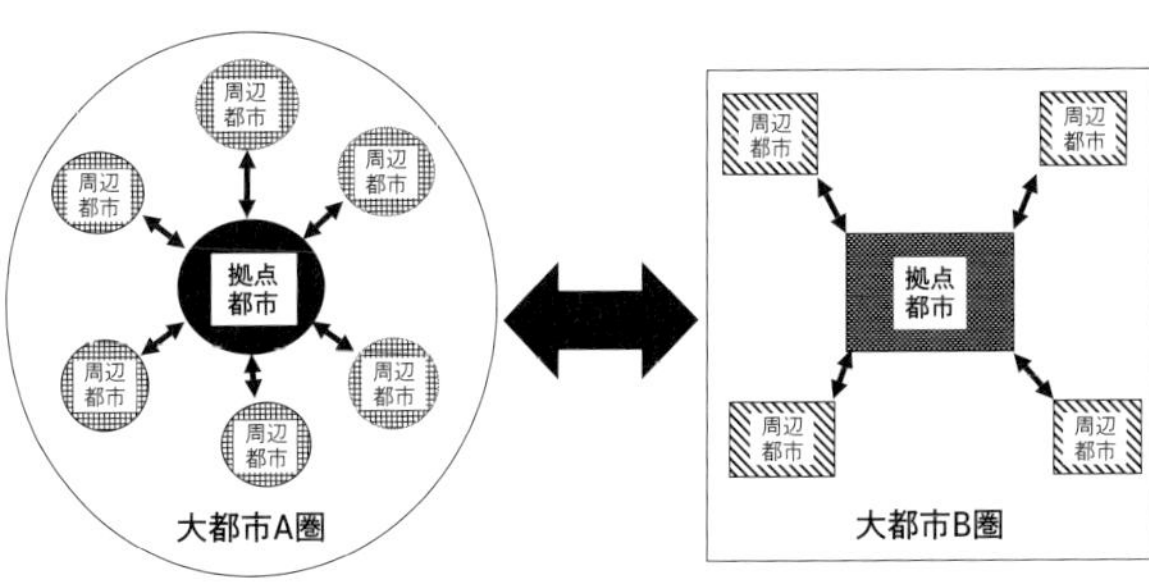

筆者作成

ことしかありません。しかし、現代社会は都市機能がエンジン（心臓）となっています。巨大都市をつくり、しかも一極集中構造をつくり出したのは人間です。従って人為災害とも言えます。

近年、大都市、しかも世界的に巨大都市（メガシティ）が増えています。日本でも都市人口が大部分を占める状況が進行してきています。２０１８年1月1日時点での「住民基本台帳の人口動態および世帯数」によると東京圏・名古屋圏・関西圏からなる三大都市圏の人口は全国人口の51・9％を占めていると報告されています。ＣＯＶＩＤ-19の感染者数は、２０２1年2月4日現在、三大都市圏で75・13％を占め都市に集積しています。日本は、先進国の中で政治、行政、企業、マスコミ、大学など、ヒト、モノ、カネの多くを東京に一極集中させる社会構造をつくってきました。ＣＯＶＩＤ-19の流行は、この東京一極集中を反映した社会災害とみることができます。これが、中国、韓国、台湾との違いを生み出しています。東京を、大阪や地方都市と切り離すことは不可能な構造になってしまっています。世界をみても、大都市が増えているだけでなく、大都市が密につながった都市間ネットワーク社会が、現代社会の実像になっています（**図4**）。

この現実が世界的なパンデミックを誰も止めることができないものとしています。グローバル経済が地球環境に与えている影響を軽減する動きが出てきていますが、COVID-19のパンデミックもグローバル経済がもたらした社会災害とみることができます。また、地球上の生物の多様性と共生を考えることが求められてきています。新型コロナウイルスと人間とはあるところで共生関係ができあがり落ち着くものと思われます。

新たなクライシスをどう考えるべきか

新型コロナという新たな感染症の襲来に対して、世界の国々は多様な対応をとっています。最初に発生した中国は、軍を動員して国家的なクライシスとして対処し、収束させています。欧州諸国はCOVID-19に対して医療機関（病院）を前線として対処し、住民の外出には警察官を動員し、感染症対策としては医薬品（ワクチン）を急いで開発して対処しようとしています。米国は、インフルエンザの流行対策の延長と位置づけるなど、先進国の中では特異な対応をしています。しかし、新型コロナの根本対策をワクチンとしていることは当初から明確です。日本は、中国の影響を受け緊急事態宣言の発動をしていますが、その後は、クライシスと考えた対応をとっているのかはっきりしません。新型インフルエンザ等対策特別措置法は、新感染症をクライシスとして対応することを想定して制定されたはずですが、COVID-19については次第に感染症法で対処する方式になっています。大阪府が、コロナ重症センターの稼働にあたって看護師不足に直面し、自衛隊の看護官の派遣依頼をしたことは、日本社会のクライシスの理解をさらにわかりにくくしています。

日本のクライシスマネジメントのあり方については、阪神淡路大震災、地下鉄サリン事件、東日本大震災、福島第一原子力発電所事故の発生のたびに問われてきましたが、COVID-19についてはクライシスなのか、だんだんわかりにくい状態になってきています。

COVID-19を契機に、こんどこそ、クライシスマネジメントのあり方を真剣に考えてみる必要があるのではないでしょうか。H5N8の鳥インフルエンザの流行が続いています。本命の新型インフルエンザが背後から迫ってきているかもしれません。本当のクライシスが訪れてきた時に、COVID-19の教訓が何だったのかが改めて問われることになると思います。2003年のSARSの後にWHOが国際保健規則を改定してます。その中に、PHEIC(国際的に懸念される公衆衛生上の緊急事態)について定めています。しかし、COVID-19に対する中国、欧米諸国、日本の各国の対応をみると、PHEICを設けている意味を、WHO自身も忘れてしまっていたかのように思えます。この体制を大事にしないと甚大な被害がもたらされることが示されました。新感染症には一つの国だけでは対抗できません。世界の協働体制をこれを機に立て直すことが重要な課題となっています。

法学者が新型コロナウイルス災害について考えてみた……山崎栄一

ポイント

- 自粛要請ではなく、法的な強制という手法も検討すべきだが、慎重な制度設計が必要。
- 規制と補償は法的にセットである必要はないが、政策的には補償が求められている。
- 国家緊急権の創設は時として深刻な副作用をもたらすので慎重に検討すべきだ。
- 感染者の公表には慎重であるべきだ。報道機関は差別的な言動だけでなく、それへの対処法も報道すべきだ。

どんな法律が関わってくるのか

法学者である以上は、まず、新型コロナウイルス災害においては、どのような法律が関わり合いをもってくるのか気がかりになります。

日本において２０２０年1月16日に中国・武漢市に滞在歴のある人から初めての感染者が確認されましたが、新型コロナ災害が直接的な影響をもたらすに至ったきっかけは、ダイヤモンド・プリンセス号における集団感染、武漢市からのチャーター便の帰国でありました。そこでまず2020年2月1日に適用されたのが、感染症に対する基本的な対策について規定をしている感染症法であり、海外からの感染を阻止することを目的としている検疫法でありました。

※チャーター便第1便が1月29日に帰国しましたが、うち2名が検査を拒否するという事態が発生しました、検疫法がその時点では適用されていなかったので、検査・診察等の強制をすることができませんでした。

さらに、日本国内において感染が拡大していく段階になると、2020年3月14日に感染の蔓延拡大、パンデミックを防止するために設けられた新型インフルエンザ等対策特別措置法(以下「特措法」)が新型コロナウイルスにも適用されるようになりました。

ここにいう「法律」とは一体何なのかについて説明をしておきましょう。法律とは、日本においては国会(という議会)において制定された法のことをいいます。法律とは、誰によって作られたのかという視点に基づいて設けられた区分であるといえます。参考までに、憲法は、憲法制定権力(＝国民)によって制定された法であり、条例は、都道府県や市町村の議会において制定された法を指します。私たちは日常会話で、「～は、法律によって禁止されている」とかしゃべったりすることがありますが、実は、条例によって禁止されていることもあり(例えば、ゲームセンターの入場制限、自転車の放置やたばこのポイ捨てなど)、用語法には注意が必要です。「○○を実現するためには、××という法律の改正が必要だ」という提言をした場合、実は条例を改正すべきであったとすると、それがいくらいい提言であったとしてもその提言の価値は半減してしまいます。

新型コロナ災害対策においては、国や都道府県・市町村の行政が対応することになります。国でいえば大臣、都道府県・市町村でいえば都道府県知事や市町村長を頂点とする行政組織が対応することになります。これらの行政組織というのは、議会の制定した法（法律や条例）に従って活動することになっており、これを「法律（条例）による行政の原理」といいます。このように議会の制定した法によって行政組織の活動がコントロールされている国家を「法治国家」といいます。今回の自粛要請や公的支援が法的な根拠なく実施されていることから、このような原理や考え方がないがしろにされているのではないかという批判がみられています。

以下においては、法学者にとって気がかりになった事柄について、取り上げていきたいと思います。

自粛要請という手法は妥当なのか考えてみた

感染者が拡大していくにつれて、国や自治体によって一般人の不要不急の外出や事業者の営業に関する時間短縮（時短）や休業といった自粛要請がなされています。法的な根拠を有している自粛要請もあれば、特に法的な根拠なく行われた自粛要請もありました。ここでの説明は、２０２１年2月の法改正前における自粛要請に関する説明ですので注意してください。

特措法に基づく自粛要請ですが、住民や施設管理者等（要するに事業者）に対して特定都道府県知事によって「要請」されるものです（特措法45条1項・2項）。施設管理者等が特措法45条2項に基づく自粛要請に応じない場合には、特に必要があると認めるときに限り、「指示」ができることになっていました（旧・特措法45条3項）。

※特定都道府県知事とは、緊急事態宣言の対象となった市町村（特定市町村）が属する都道府県の知事を指しま

す（特措法38条1項）。緊急事態宣言は、政府対策本部長である内閣総理大臣によって発せられます（特措法32条1項）。緊急事態宣言が発せられていなくても、都道府県知事は公私の団体又は個人に対し、新型インフルエンザ等対策の実施に関し必要な協力の要請をすることができます（特措法24条9項）。

※ここにいう施設管理者等ですが、当初は飲食店等は含まれていませんでしたが、２０２１年1月7日に施行令が改正され、飲食店等も自粛要請の対象に含まれることになりました。

「要請」と「指示」ですが、罰則などの強制力が伴っていないので、行政法の世界でいう「行政指導」に該当します。行政指導は行政手続法において「行政機関がその任務又は所掌事務の範囲内において一定の行政目的を実現するため特定の者に一定の作為又は不作為を求める指導、勧告、助言その他の行為であって処分に該当しないものをいう」（2条6号）と定義されています。行政指導は法的な根拠を必要としない行政手法（それでも法で規定されている任務や役割の範囲内で行わないといけません。その限りにおいて法的なコントロールを受けるといえます）なのですが、法的な根拠に基づいている要請や指示については、それを受け止める人によっては重みを感じるかもしれません。

あくまでも協力を求めているにすぎないというスタンスをとってはいるものの、行政指導に従わない場合の対抗手段として行政は公表という手段を有しています。この点につき、旧・特措法45条4項には、「特定都道府県知事は、第2項の規定による要請又は前項の規定による指示をしたときは、遅滞なく、その旨を公表しなければならない」とありましたが、指示は自粛要請に応じない場合になされるモノであり、制裁的公表にあたるといえるでしょう。実際に、自粛要請に従わなかったパチンコ店について都道府県が店舗名を公表したケースがありますが、このような公表は制裁的公表であり、実質的な不利益を及ぼすことから法律や条例の根拠が必要ではないかと言われています。

新型コロナの感染が拡大した初期においては、大多数の市民や事業者の方々が自粛要請に応じてくれました。ひとえに日本における市民の順法精神というのは称賛に値するといえます。自粛要請だけで、ある程度の成果をあげていることは間違いありません。ただし、順法精神以外にも、共同体による同調圧力によって遵守がもたらされていたということも否定できません。この同調圧力ですが、国家権力によるお墨付きを得ているのが不気味なところで、国家権力は直接的には強制をしないが、共同体による同調圧力を背景とした実質的な強制がなされていたといえます。

そもそも、行政指導(特に相手方に負担を求める行政指導)については、タテマエはあくまでも協力を装っているのにもかかわらず、ホンネとしては協力を拒んだ場合には別の場面で何らかの仕返しが待ち受けている(だから従わざるを得ない)といういやらしい運用がなされてきたことから、タテマエを貫かせるために行政手続法であくまでも協力であると釘を刺したという背景があります。それでも、公表というすれすれの手段は認められているのです。

今回の自粛要請は、自粛要請を行った行政自体が何らかの圧力をかけるということはなかったものの、共同体による同調圧力の存在を利用しているきらいがあります。自粛要請の遵守を担保しているのが、同調圧力であったとするならば、後味の悪さも感じさせます。同調圧力にかこつけた私的制裁については、程度を越えたものは違法行為として取り扱うべきです。今回の自粛要請ですが、ソーシャルディスタンスさえ守っていれば、パチンコ店や飲食店・カラオケ店の休業も必要なく「ずさんな過剰規制で、防げたはずの多くの破産者・失業者を生み出した」という批判があります（阿部泰隆「コロナ対策の法的工夫」自治実務セミナー2020年7月号）。

法的に強制し罰則を設けることの問題点

ただし、このような要請や指示では市民の活動を抑制できないような事態も起こっています（2020年12月時点）。そうすると、何らかの形で法的な強制という手法も検討すべきではないかということになります。外出を禁止したり、営業を禁止したりして、従わない場合に法的な強制や罰則をもたらすとなりますと、禁止に伴って、警察や行政による監視や取り締まりが行われることになり、正当な理由なく外出している人を強制的に自宅に連れ戻させられたり、営業をし続けている店舗を強制的に閉店させられたり、そういった違反者が逮捕されたり、罰金などの法的制裁を受けたりすることが想定されます。法的な強制や罰則の実効性については、いくつかの課題が存在します。強制される以上は必要最小限度の規制であることが求められますので強制される範囲は限定的なものになります。また、違反行為につき罰金程度の刑にしか処せられないとするとどこまで抑止力が働くかが疑問視されます。かといって、物理的な強制を行えるようにした場合でも厳格な要件や手続きでしか実施できないとなると強制手段が実質的には「抜けない伝家の宝刀」にもなりかねません。法的な強制や罰則というのも一筋縄ではいかないところがあり、慎重な法制度設計が求められます。

2021年2月に、感染症法と特措法の法改正がなされました。そこでは、新たに罰則が設けられました。感染症法においては、①入院を拒否したり、病院から逃げ出した場合、「50万円以下の過料」②感染経路の調査で回答拒否や虚偽申告をした場合には「30万円以下の過料」が科せられることになりました。特措法においては、①緊急事態宣言発令後に都道府県知事が行った時短・休業要請に飲食店等の事業者が従わない場合、「指示」に代えて「命令」を発することができるようになり、命令に従わない場合には「30万円以下の過料」②要請を出すにあたって必要な立ち入り検査を拒否した場合には「20万円以下の過料」③宣言が出されていない場合でも、感染が拡大する恐れがあるときは「まん延防止等重点措置」として緊急事態宣言発令時と同様に都道府県知事が行った時短要請に従わない場合も指示に代わって命令を発することができるようにし、命令に従わない場合には「20万円以下の過料」が科せられることになりました。

※罰金と過料の違いですが、罰金は刑事罰の一つであり前科がつくのに対して、過料は行政罰の一つであり前科がつくことはありません。

このような罰則化につき、感染症法に関しては、①入院によって就労や家事・介護ができなくなってしまったり、偏見・差別が助長されたりすることに対する配慮なしに入院を強制するのは個人に過剰な負担をかけることにはならないか②罰則を恐れるあまり、検査を受けようとしなくなったり、検査結果を公表しなくなったりすることで、感染状況の把握ができなくなってしまわないか、という懸念が投げかけられています。同様に、特措法に関しては十分な補償・支援措置をとらないまま時短や休業を強制するのは事業者に過剰な負担をかけることにはならないかという懸念が投げかけられています。

これらの懸念について、付帯決議において、感染症法に関しては、入院・検査ともに「現場で円滑な適用がなされるよう、その手順などを分かりやすく示すとともに、適用についての具体例など、適用の適否の判断材料をできる限り明確に示すこと」を求めています。同様に、特措法に関しては、命令および過料を「適用できない『正当な理由』が認められる場合を、具体的なケースを含めガイドラインで明確に示すこと」を求めています。

補償をめぐる議論について考えてみた

新型コロナ災害における生命・身体に対するリスクを防止するためには、経済活動（ヒトの移動やイベント・事業の実施）を制限する必要性が生じてきました。そして、経済活動を制限されることにより、事業の時短や休業ならびにそれに伴う倒産・解雇といった事態も引き起こされかねない事態となりました。こういった中、事業の時短や休業に伴う補償に関する議論が起こっています。「自粛と補償はセットである」といわれることがあります。この議論ですが、補償という言葉が多義的なため、補償という言葉を発した人がどういったニュアンスで用いているのかについて、言葉の整理が必要です。

生命・身体の保護は憲法において最も重要な法益であるといえます。人権を行使するには、まず生きていないといけません（命あっての物種）。新型コロナ災害はまさに、生命・身体を脅かすものであり、必要に応じて何らかの人権が制限されることはやむを得ないことです。ところで、人権というのは憲法上、最高の価値を有するものですが、「公共の福祉」の名において制限されることが予定されています（憲法13条、29条2項）。ここにいう「公共の福祉」ですが、具体的には「他者の人権」のことを指しています。神のような存在を制限できるのは、他の神だったということです。

補償とは、一般的には「損害（損失）、費用、代価等を償う」という意味がありますが（『法令用語辞典〈第10次改訂版〉』学陽書房、2016年）、憲法学において、補償とは憲法29条3項（「私有財産は、正当な補償の下に、これを公共のために用ひることができる」）に基づく損失補償のことを指します。損失補償とは、「適法な公権力の行使によって加えられた特別の犠牲に対し、公平の見地から全体の負担においてこれを調整するための財産的補償」のことを指します（『法律学小辞典【第5版】』有斐閣、2016年）。国家による違法な公権力の行使が行われた場合は、憲法17条により国家賠償がなされますが、適法な公権力の行使による損失については損失補償がなされるというわけです。わかりやすい具体例としては、道路や公共施設を建設する際に行われる土地収用に伴う補償があります。

今回の新型コロナ災害における自粛要請においては、そもそも人権の制限が行われていませんので、憲法上の損失補償という議論の俎上にはあがりません。市民の行動や経済活動の制限を法的に強制した場合において、憲法上の損失補償が認められるかどうかという議論が俎上にあげられることになります。

営業というのは、職業選択の自由の行使という側面（22条1項）と財産権の行使（29条1項）＝自己の財産の自由な使用収益＝という側面をもっています。営業活動の自粛によって、財産権の行使が制限されることになるわけですから、営業の停止や制限は損失補償の対象になるかどうか検討の余地が出てきます。

憲法上の損失補償が認められるには、どのような要件が必要なのでしょうか。公共の福祉のために財産権の行使が制限されることに伴う損失が財産権自体に内在する一般的な社会制約と認められる程度のものであれば損失補償は必要がありません。ただし、財産権の制限が社会生活上一般に受忍すべきものとされる限度を超え、特定の人に対し特別の財産上の犠牲を強いるものである場合には、損失補償が認められるものと考えられています。

どのような場合に「特別の犠牲」として認められるのかについてですが、①制限の対象が広く一般人なのか、特定の個人や集団なのか②制限の程度や目的がどのようなものなのか、といった点を考慮して判断されることになります。今回のケースにおいては、制限の目的が生命・身体の安全のために行われる内在的な制約であることからして、特別の犠牲として扱うのは難しいと思います。なので、「自粛と補償」「規制と補償」は必ずしもセットではないのです。

※ちなみに、特措法62条には損失補償の規定がありますが、これは病院の使用、土地の収用、物資の保管に関する補償で、特定の個人や集団に負担を強いるものであって、まさにここにいう特別の犠牲に該当します。

世間では、補償という言葉がよく使われるようですが、市民の人たちはそこまでのニュアンスがあることを自覚して用いていないように思います。休業補償という言葉は結構しっくりとなじみやすい表現ではあります。さしずめ、被害を受けた個人や事業者に対する給付一般という意味にしか捉えていないと思います。先ほども、法律と条例の違いについて説明をしましたが、同様のことがいえます。補償という言葉をどの脈絡で使っているのかが明確でないまま議論をしていると、かみ合わない議論になってしまわないかが懸念されます。

社会的なアピールであったり、政策提言のキーワードとしては、補償という言葉は、用語法としてはあまり適切ではないと思っています。むしろ、公的支援、経済的支援といった用語法の方が適切であると思います。

これまでの時短・休業措置は自粛要請に基づくものではありますが、要請を遵守することで経済的に破滅的な影響をもたらすような内容の要請はそもそもできないのではないでしょうか。仮に、法的に強制がなされて、それが内在的制約なので憲法上の補償を要しないとしても、長期間にわたる営業活動の停止によって、廃業や失業に追い込まれることが必至となると、社会国家とか生存権の保障といった、別の視点からの公的支援が必要となります。他にも、経済システムや市場システム自体の維持といった視点からの公的支援、経済的支援もあり得るでしょう。

2021年2月に、特措法の法改正がなされました。先ほど解説をした罰則規定の創設と並行して、国や地方自治体が「必要な財政上の措置その他の必要な措置を効果的に講ずる」こととし、時短・休業要請に応じた飲食店等の事業者に対する支援措置の法的根拠を設けようとしていますが、規定の内容があいまいなため、付帯決議において「要請による経営への度合い等を勘案し、公平性の観点や円滑な執行等が行われることに配慮」し、「必要な支援となるよう努めること」を求めています。

緊急事態が意味するものについて考えてみた

新型コロナ災害においては、さまざまな形で緊急事態という言葉が行き交いました。皆さんにとって今回一番身近な緊急事態というのは、特措法にいうところの「緊急事態宣言」であったと思います。これは2020年4月7日に発せられました。それ以外にも、明確な法的根拠のない「緊急事態宣言」も発せられています。さまざまな形で緊急事態宣言が発せられていますが、少なくとも感染者数の爆発的拡大に伴う感染死亡者数の増加、および医療システムの崩壊の危機に伴う「緊急の対策を要する状態」にあるという認識が根底にあるということは共通していると思います。今回の新型コロナでは、緊急事態宣言の早期発令を求める声もありましたし、そういった宣言が発令されることで身が引き締まった人もいるかもしれません。今回はそのような心理的効果があったと思います。

ただし、この緊急事態という言葉ですが、私たちが日常的に使っているイメージと憲法学においてイメージされるものとは大きな隔たりがあります。憲法学における緊急事態とは、「戦争・内乱・恐慌ないし大規模な自然災害など、平時の統治機構をもってしては対処できない非常事態において、国家権力が、国家の存立を維持するために、立憲的な憲法秩序(人権保障と権力分立)を一時停止して、非常措置をとる権限のこと」という定義づけがなされています(芦部信喜『憲法学Ⅰ　憲法総論』有斐閣、1992年)。そこでは、平常時ではあり得ない人権制約や権力集中がもたらされることになりますので、非常にヘビーな意味合いがあります。憲法学における緊急事態においては　どのような措置が執られうるのでしょうか、国会による法律の制定を待つことなく、内閣による政令に基づいてさまざまな規制を講じることが可能になります。内閣も政令という法令を制定することができますが、それはあくまでも法律の委任に基づかなければなりません。法律の委任に基づかないで政令を制定するという行為は「独立命令」といって、平常時には許されない立法形態です(ただし、戦前はそれが許されていました)。そういった立法形態も許容されることになるということです。

このような中で、緊急事態に備えて、憲法に緊急事態条項を設けるべきだという意見も見受けられます。感染症やパンデミックに対しては、あらかじめ法律で規定しておいて、強制的な検査・診察、入院措置の権限を定めておき、政令等で、外出禁止の範囲や営業禁止の対象を指定するといったスタイルで対応が可能です。法律レベルで対応できる事象であり、憲法学にいう緊急事態条項の必要性を議論する俎上にはあがらないと思います。

国家緊急権の行使にはさまざまなリスク（＝副作用）が伴います。想定もしないうちに極めて短期間のうちに緊急権行使が可能なのか、その場しのぎ、あるいはそれ以下の「トンデモ命令」や「トンデモ指示」がなされないとも限りません。そうなると、最初からそんな権限を与えておくべきではなかった……ということになります。国家緊急権の創設というのは時として深刻な副作用をもたらしますので、慎重な判断が必要です。「創設しておくことに越したことはない」という性質のシロモノではないということは肝に銘じておいた方がいいでしょう。なので、どの意味で緊急事態という言葉を用いているのか、用いようとしているのかについては慎重である必要があります。

偏見・差別に立ち向かう方法について考えてみた

今回の新型コロナ災害においては、感染者に対する差別や誹謗中傷が多く見られています。実は、感染症法の前文では「感染症の患者等に対するいわれのない差別や偏見が存在したという事実を重く受け止め、これを教訓として今後に生かすことが必要であ」り、「感染症の患者等の人権を尊重」することを求めています。歴史的にも、感染症が偏見や差別の温床になりかねないことに警鐘を鳴らしているといえます。感染症に関する知識や情報が不十分なほど、偏見・差別が助長されやすいのです。今回の特徴としては、「自分は感染していない」ことを前提にした「自分に感染をもたらす他者」に対する敵対心を特徴の一つとしてあげることができます。

そういった中で、2020年11月12日に新型コロナウイルス感染症対策分科会によって公表された『偏見・差別とプライバシーに関するワーキンググループ　これまでの議論のまとめ（令和2年11月）』において、偏見・差別等の実態が明らかにされるとともに、これまでの取り組みを紹介しながら、差別・偏見等の防止に向け関係者が今後さらなる取り組みをするにあたって以下のようなポイントと提言を述べています。

・感染症に関する正しい知識の普及、偏見・差別等の防止等に向けた注意喚起・啓発・教育の強化
・感染者等に対する差別的取扱、誹謗中傷等を禁止する旨の条例の制定等
・偏見・差別等に関する相談体制の強化、SNS等における誹謗中傷への対応等
・悪質な行為には法的責任が伴うことの市民への周知
・新型コロナウイルス感染症の特性を踏まえた情報公表に関する統一的な考え方の整理

情報の公表につき、感染症法16条1項には「厚生労働大臣及び都道府県知事は、……感染症の発生の状況、動向及び原因に関する情報並びに当該感染症の予防及び治療に必要な情報を新聞、放送、インターネットその他適切な方法により積極的に公表しなければならない」と規定する一方、これらの「情報を公表するに当たっては、個人情報の保護に留意しなければならない」とも規定しています。国や自治体は、新型コロナウイルス感染症に関する情報の公表については、「一類感染症が国内で発生した場合における情報の公表に係る基本方針」を参考にするように通知をしています。そこでは、感染者の居住国、年代、性別、居住都道府県、発症日時、感染源の接触歴、医療機関への受診・入院後の状況、感染者の行動歴（他者に感染させうる時期以降）については公表するものの、氏名、国籍、基礎疾患、職業、居住市区町村、医療機関名については公表しない取り扱いになっています。

個人情報保護への配慮は民間の事業者に対しても、要請されるものです。民間の事業者は個人情報保護法に従った運用が求められます。ある人が新型コロナに感染しているという情報は、偏見・差別を招きやすい「要配慮個人情報」として位置づけられていますので(個人情報保護法2条3項)、その取り扱いについても慎重にならざるを得ません。人の生命・身体の保護のために必要である場合や、公衆衛生の向上のために特に必要である場合であって、本人の同意を得ることが困難であるときは、本人の同意なしに第三者に提供できることにはなっていますが(個人情報保護法23条1項2号・3号)、公表が必要であるかどうかの判断に加え、公表するとしても必要最小限度の公表にとどめているかどうか慎重な判断が求められます。事業者の役員や従業員の中で感染者が発生した場合、新型コロナ感染の事実を公表するのか、するとしても感染者が特定されないようにどのような配慮が必要なのかを考えなければなりません。基本的には、感染者情報の公表は国や自治体の役割であって、民間の事業者が積極的に感染者の情報を公表する類いのものではないという認識はもっておくべきでしょう。

偏見・差別の克服のためには報道のあり方も重要です。単に、差別的な言動があったことを報道するだけでは、不安を広げるだけになってしまいます。差別的な言動にあった場合に、どのような対処法があるのかを社会的に知らしめておく必要があります。これは、報道する側の社会的使命であるといえます。法的な対処方法としては、名誉毀損罪、信用毀損罪、脅迫罪などの刑事告発や差別行為の差し止め請求、損害賠償請求、SNS等の差別発言に対する発言削除請求や発信者情報開示といった民事的な対応があります。被災者支援の場面でも同様ですが、法律や制度についての専門的な知識が求められやすい領域であり、法的・制度的な対処方法にアプローチができるように相談窓口を設けておき周知を図っておくことも重要です。

第２章

緊急事態宣言 試される日本社会

関西大学社会安全学部　教授

元吉忠寛(もとよし・ただひろ)

1997年名古屋大学教育学部卒業。2002年名古屋大学大学院教育発達科学研究科博士課程単位取得満期退学。2004年博士(教育心理学)取得。防災科学技術研究所特別研究員、名古屋大学大学院教育発達科学研究科助教などを経て2018年4月から現職。専門分野は、災害心理学、社会心理学。分担執筆書籍に「リスクの社会心理学」(有斐閣、2012年)、「安全とリスクの心理学」(培風館、2018年)など。

関西大学社会安全学部　准教授

近藤誠司(こんどう・せいじ)

京都大学大学院情報学研究科博士後期課程指導認定退学。博士(情報学)。元NHKディレクターとして災害報道に従事。NHKスペシャル『メガクエイク 巨大地震』で科学技術映像祭・内閣総理大臣賞を受賞。日本で唯一の「災害ジャーナリズム論」のゼミを開講。2019年度、ぼうさい甲子園でグランプリを受賞、ジャパン・レジリエンス・アワードで金賞を受賞。社会貢献学会と日本災害復興学会で理事、地区防災計画学会で幹事を務める。

新型コロナウイルス緊急事態宣言下の人々の心理……元吉忠寛

ポイント

- 誰も経験したことのない緊急事態宣言下で多くの人は強い不安を感じ、不安を解消するための様々な行動を取った。
- その中で、買い占め、感染者に対する偏見や差別などが問題となり、マスコミで大きく取り上げられた。しかし、そのようなことを実際に行っていたのはごく少数の人だった。
- 女性の方が男性よりも新型コロナウイルスに対する不安を強く感じ、様々な影響を受け、感染症を予防する新しい生活様式の実践もしていた。

緊急事態宣言の発令

新型コロナウイルス感染症の流行によって、日本では2020年2月27日に全国の学校に臨時休校が要請されました。3月には世界保健機関(WHO)のテドロス事務局長が、新型コロナはパンデミック(世界的大流行)であると表明しました。国内でも各地でクラスター(感染者集団)が発生し、新規感染者が徐々に増えてきました。

そのような中で3月19日には大阪府の吉村洋文知事と兵庫県の井戸敏三知事が、3連休中の大阪府と兵庫県の間の不要不急の往来を自粛するよう要請し、翌週の3月25日には小池百合子東京都知事が都民に対して週末の外出自粛の要請を出しました。そして4月7日に政府は埼玉県、千葉県、東京都、神奈川県、大阪府、兵庫県、福岡県の7都府県を対象に緊急事態宣言を発令し、4月16日にはその対象を全国に拡大しました。

これによって、多くの人が外出を自粛するようになり、日常生活が大きく変化しました。この章では、3月に感染者が増え始めて自粛が要請されるようになった頃から5月25日に緊急事態宣言が全国で解除されるまでの約2カ月の間に、私たちがどのような心理的影響を受けたのかについて、調査結果に基づいて考えてみたいと思います。

新型コロナウイルスに対する不安

私たちはどうして新型コロナウイルスに対して強い不安を感じたのでしょうか。アメリカ合衆国の心理学者、ポール・スロヴィック氏は、原子力、自動車、拳銃、タバコ、アルコールなど世の中にある様々なリスクについて、科学者や専門家と一般の人々とでは、リスクが高いと思うものは異なるということを明らかにしています。例えば、一般の人々にとっては非常にリスクが高いと感じる原子力は、実は専門家にとってはそれほどリスクが高くないものと評価されていたのです。専門家たちが、それによって死亡する可能性からリスクを評価するのに対して、一般の人々はそのイメージによってリスクの高さを判断するからと考えられています。

原子力について考えてみましょう。原子力発電所の事故によって死亡した人は歴史的に見ても実はそれほど多くはありません。1979年に起きたスリーマイル島原子力発電所の事故では直接の死者は出ていません。また、1986年に起きたチェルノブイリ原子力発電所の事故での死者は、直接的な急性の大量被曝(ひばく)による死者は数十人、放射線を浴びたためにがんになるという関連死を含めると、正確な数を推定することは難しいため諸説はあるものの、数千人程度と考えられています。2011年の東京電力福島第一原子力発電所の事故でも、直接的な急性の大量被曝による死者は出ていません。また、関連死を含めた場合は、やはり諸説はあるものの、千数百人程度と考えられています。

それでは自動車事故はどうでしょうか。自動車事故で死亡する人は日本国内だけでも毎年数千人います。また、タバコやアルコールが原因で病気になって死亡する日本人は、毎年数万人から数十万人になるといわれています。つまり、専門家は死者数という観点からみて、原子力よりも自動車、タバコやアルコールのリスクの方がずっと高いと評価するのです。

専門家は死者数でリスクを判断するのに対して、一般の人々はイメージでリスクを判断し、中でも「恐ろしさ」と「未知性」という二つの要素がリスクの高さを評価する重要な要素であるということもわかっています。具体的に「恐ろしさ」とは、コントロールすることができるか、死をもたらすものか、世界的に広がっていることとか、増大しつつあるのか、受動的なものかといった要素が重要になります。また「未知性」とは、観察することができないか、新しいものか、先の見通しがつかないか、科学的によくわかっていないかといった要素が重要になります。つまり、原子力にはこのような「恐ろしさ」と「未知性」の要素が多くあてはまるため、一般の人々にはリスクの高いものだと認識されているのです。それに対して、自動車、タバコやアルコールには、「恐ろしさ」や「未知性」の要素があまりあてはまらないため、それほどリスクは高くないものと認識されています。

今回の新型コロナは、「恐ろしさ」と「未知性」の要素すべてを兼ね備えていました。コントロールすることが難しく、死をもたらす、世界的に広がっている、増大しつつある、受動的な恐ろしいものでした。さらに、観察することができない、新しいもので、先の見通しがつかない、科学的によくわかっていない病気でした。したがって、新型コロナは一般の人々にとってはとてもリスクの高いものと思われ、強い不安を感じさせたのです。

社会全体に広がる不安

人々の不安は自分の心の中だけにとどまらず、社会全体に広がっていきます。これをリスクの研究者であるロジャー・カスパーソン氏は、リスクの社会的増幅フレームワークと呼ばれる枠組みで説明しています（図1）。新型コロナについては、政府機関や地方自治体だけではなく、医学や公衆衛生の専門家、ウイルスの研究者、有名人や芸能人など、様々な情報源から発信されました。そして私たちはそれらの情報をテレビや新聞だけではなく、インターネットや口コミなどを通じて得ました。全国や都道府県ごとの毎日の感染者数や死者数といった客観的なデータ、有名人の新型コロナへの感染、死亡というニュース、海外での感染拡大状況や医療崩壊などの衝撃的な映像、ロックダウン、クラスター、オーバーシュートなどこれまであまり耳にしなかった言葉、さらには、どこからともなく広がってくる感染者発生のうわさやデマなど、情報の種類もその信憑性も様々でした。そのような状況下で、新型コロナに感染するという直接のリスクとは関係なく、私たちは戸惑いや不安を感じ、それが社会全体に増幅されてし

図1　リスクの社会的増幅フレームワーク

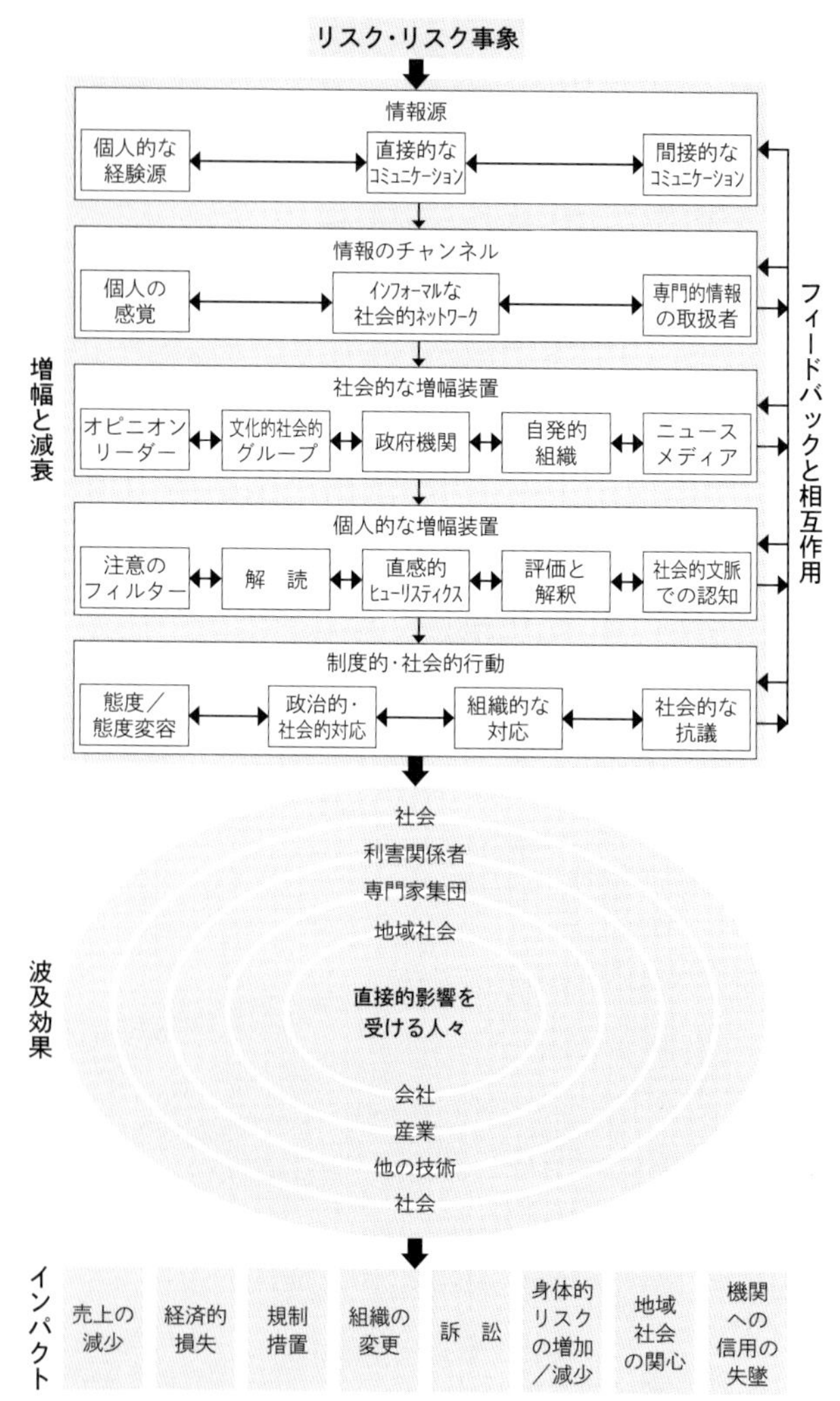

出典：Kasperson, R. E., Renn, O., Slovic, P., Brown, H.S., Emel, J., Goble, R., Kasperson, J. X., & Ratick, S. (1988). The social amplification of Risk: A conceptual Framework. Risk Analysis, 8, 177-187.を基に筆者作成

まったのです。緊急事態宣言が発令されてからは、それまで増加していた感染者の数は、横ばいから減少傾向になりました。しかし、感染者数がゼロになることはなく、私たちは不安を拭い去ることはできなかったのです。

不安を感じた人はどれくらいいたのか

新型コロナに対して不安を感じていた人はどれくらいいたのでしょうか。緊急事態宣言が解除された直後の２０２０年5月末に私たちが行ったインターネット調査＝元吉忠寛（２０２１）新型コロナウイルス感染症による人々への心理的影響　社会安全学研究、11．（印刷中）＝の結果を見てみましょう。この調査は東京都、大阪府、岩手県で成人男女各２００人、合計１２００人を対象としました。**図2**は「自分自身がウイルスに感染することに不安を感じる」という質問、**図3**は「日本にウイルスが広がることに不安を感じる」という質問についての回答者の分布です。

いずれも都府県による差はそれほど大きくはなく、一貫して女性の方が男性より不安に感じている人の割合が多いことがわかります。全体でみると、自分自身がウイルスに感染する不安は、「とてもあてはまる」「ややあてはまる」を合わせると約70％、日本にウイルスが広まることに対する不安は80％を超えていました。つまり、自分自身が感染する不安よりも日本で感染が広がる不安を強く感じていることがわかりました。

また調査した時点で感染者が確認されていなかった岩手県においても、感染者が多かった東京都や大阪府とほとんど変わらないくらいの強い不安を人々が感じていたことがわかりました。

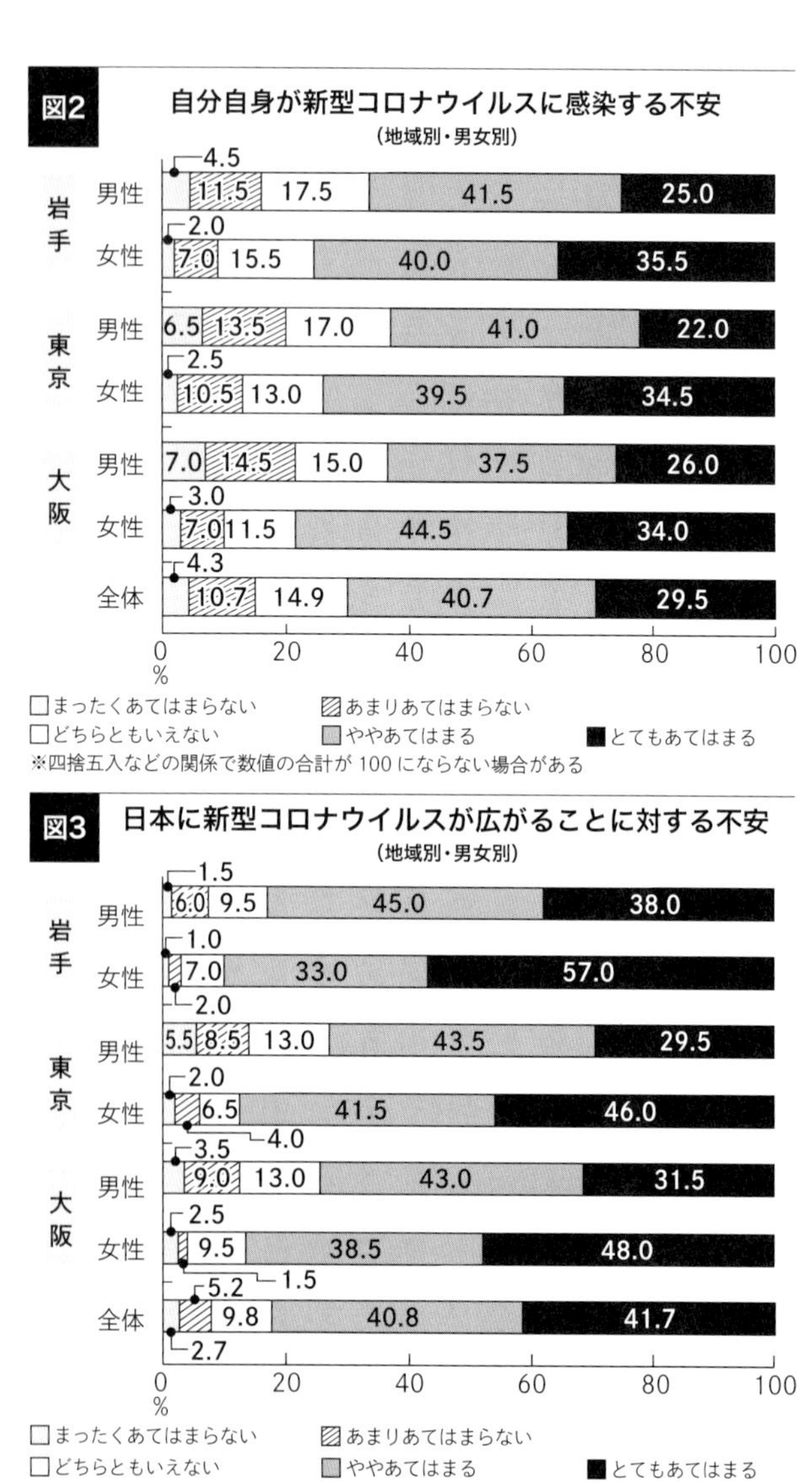

※四捨五入などの関係で数値の合計が100にならない場合がある。

図2、図3出典：元吉忠寛　(2021)　新型コロナウイルス感染症による人々への心理的影響　社会安全学研究、11.(印刷中)

トイレットペーパーが買えない

新型コロナが流行して多くの人が不安を感じる中で注目を集めたのが、人々の極端で不適切な行動でした。ツイッターなどソーシャル・ネットワーク・サービスでのうわさやデマなどの情報の拡散、マスクや除菌・抗菌などの衛生用品、トイレットペーパー、ティッシュ、カップラーメンなどの買い占めなどです。私たちはどうすればよいのかよくわからなくなったとき、不安を払拭するために、とりあえず自分でできそうな行動をとり、不安を少しでも解消しようとします。

トイレットペーパーやティッシュの買い占めは、2月末に熊本県内から始まりました。ツイッターなどでトイレットペーパーがなくなるというコメントが拡散したため、製紙業界団体はその情報をデマだと否定しました。しかし熊本県内で買い占めが起こり、店頭では実際に商品が手に入りにくくなりました。最初は熊本県だけで見られた現象でしたが、その後あっという間に全国に買い占めが広がっていきました。店舗からトイレットペーパーに限らず、キッチンペーパーや紙おむつなどがなくなっている様子は、テレビや新聞で大きく取り上げられるようになりました。

しかし実際には、多くの人はトイレットペーパーが不足するということもないし、トイレットペーパーがなくなるという話もデマだとわかっていました。マスコミでの報道でもその点はきちんと伝えられ強調されていました。それにもかかわらず、デマだと理解してても、トイレットペーパーを買い占める人によって実際に店舗で空になった商品棚を見ると不安になり、品物が店頭に並んでいるのを見ると、念のために買っておこうと思う人が出てきて、すぐに商品はなくなってしまったのです。

実際に買い占めていたのは一部の人

それでは、実際にどのくらいの人が商品を多めに買っていたのでしょうか。株式会社サーベイリサーチセンターが3月に行った調査で当時の状況を知ることができます。この調査では、47都道府県の各100人、合計4700人に、様々なものをどのくらい買ったのかをたずねています。この調査の結果によると、マスクを3月のはじめに「通常より多めに買った」と回答した人は7.5%、「通常よりも多めに買いたかったが、買えていない」と回答した人は24・6%でした。この二つを合わせると32・1%です。一方、「通常と変わらない」と回答した人は27・6%、「買っていない」と回答した人は40・6%でした。また、トイレットペーパーを「通常より多めに買った」と回答した人は6.5%、「通常よりも多めに買いたかったが、買えていない」と回答した人は10・3%でした。この二つを合わせると16・8%です。一方、「通常と変わらない」と回答した人は53・7%、「買っていない」と回答した人は29・5%でした。

つまり、マスクに比べると、トイレットペーパーをいつもより多めに買ったり、買おうとした人は少ないことがわかり、8割以上の人は普段と変わらない買い物の仕方をしていたのです。この調査では、マスクやトイレットペーパー以外にも、アルコール消毒液、ティッシュ、紙おむつ、インスタント食品などの購入についてもたずねていますが、ほとんどの商品で8割以上の人が「通常と変わらない」か「買っていない」と回答していました。

私たちが5月末に行った調査でも同じような結果が得られています(図4)。緊急事態宣言が発令されていた約

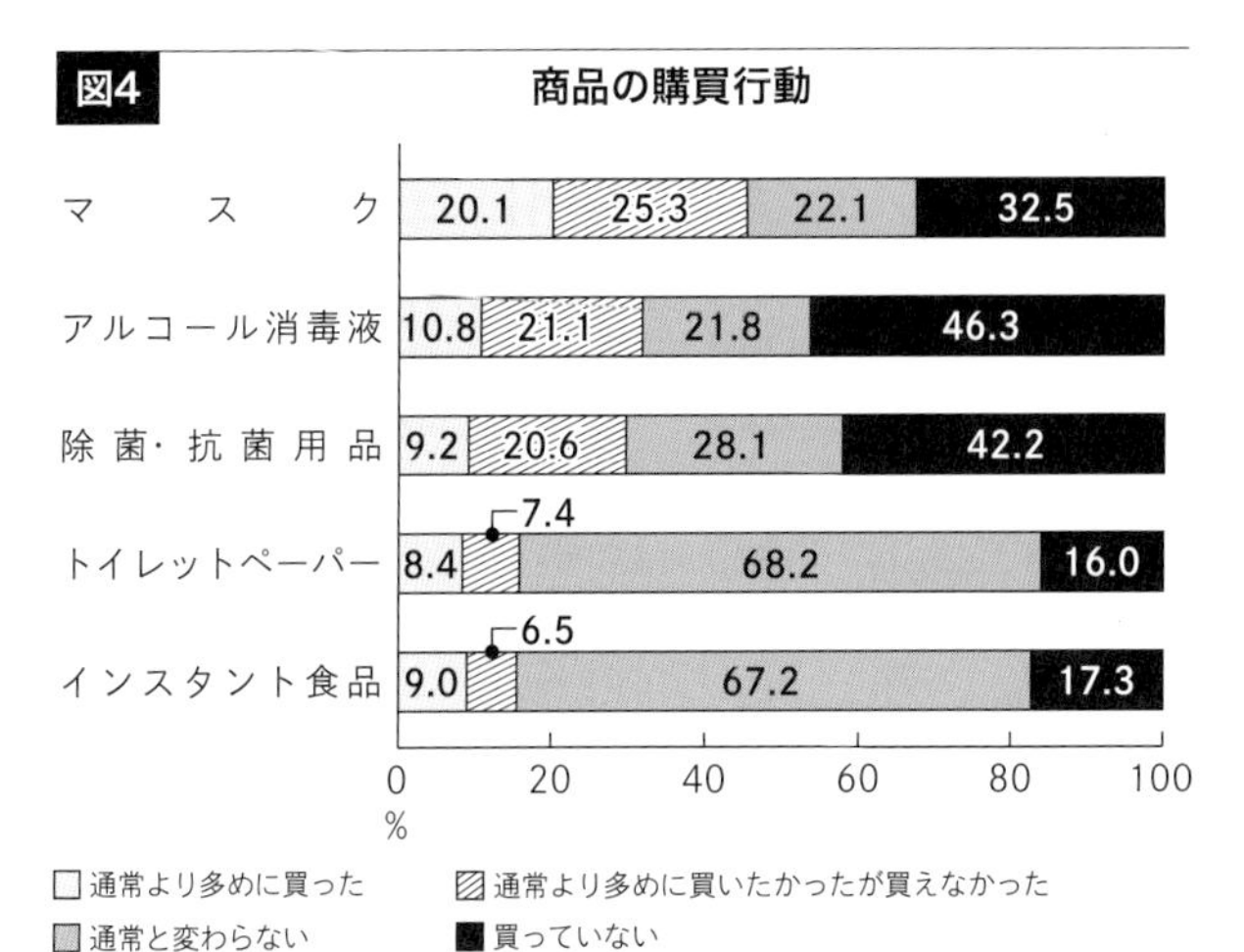

1カ月の間に、マスクを「通常より多めに買った」と回答した人は20・1%、「通常よりも多めに買いたかったが、買えていない」と回答した人は25・3%でした。この二つを合わせると45・4%になります。3月の調査では32・1%でしたが、緊急事態宣言が発令されていた頃には、半数近くの人がマスクを多めに買ったり、多めに買いたいと思っていたことがわかります。なぜならマスクを必要としている人は多く、実際に商品は不足していました。ドラッグストアなどでは開店前から行列ができたり、マスクが手に入らず、自作する人が増えてきたのもこの時期でした。

一方、トイレットペーパーを「通常より多めに買った」と回答した人は8.4%、「通常よりも多めに買いたかったが、買えていない」と回答した人は7.4%でした。この二つを合わせると15・8%です。そして「通常と変わらない」と回答した人は68・2%、「買っていない」と回答した人は16・0%でした。やはり8割以上の人は普段と変わらない買い物の仕方をしていたのです。多くのメディアでも伝えてきたとおり、トイレットペーパーがなくなるというのはデマです。店頭から一時的になくなることはあっても商品が不足していたわけではありませんでした。したがって、商品がなくなるかもしれないという不安から実際に買い占めを行ってしまった人は3月とほぼ同じで1割から2割程度の少数でした。しかし、商品の物流システムを急激に変えることは難しいため、1割から2割程度の少数の人たちが商品を買い求めたことによって、一気に店頭から商品は消えてしまったのです。実際に商品が不足することはないので、時間の経過とともにだんだんと商品は店頭に並ぶようになりましたが、一時的には商品がなくなり、品薄状態になってしまったのです。

このような買い占めの問題は、東日本大震災の時にも起きました。また今後も、何らかの災害や感染症の流行などによって似たような現象が起きるかもしれません。だからこそ、私たちに求められるのは、実際に買い占めをしているのは少数の人にすぎないということを理解して、冷静な対応を取ることなのです。

感染者や医療従事者に対する偏見・差別

新型コロナが流行する中で、他者に対する嫌悪感や偏見、差別などの問題にも注目が集まりました。海外では、中国が新型コロナの発生源であるととらえられていることから、アジア系の人々に対する偏見や差別、攻撃行動が発生しました。このような偏見や差別の問題は、２００３年のＳＡＲＳ（重症急性呼吸器症候群）の流行や２００９年のブタ由来の新型インフルエンザ流行の時にも起こったことでした。日本で大きな問題となったのは、感染者や医療関係者に対する心ないデマや差別です。ある地域では、感染者に対して「職場にいることができず

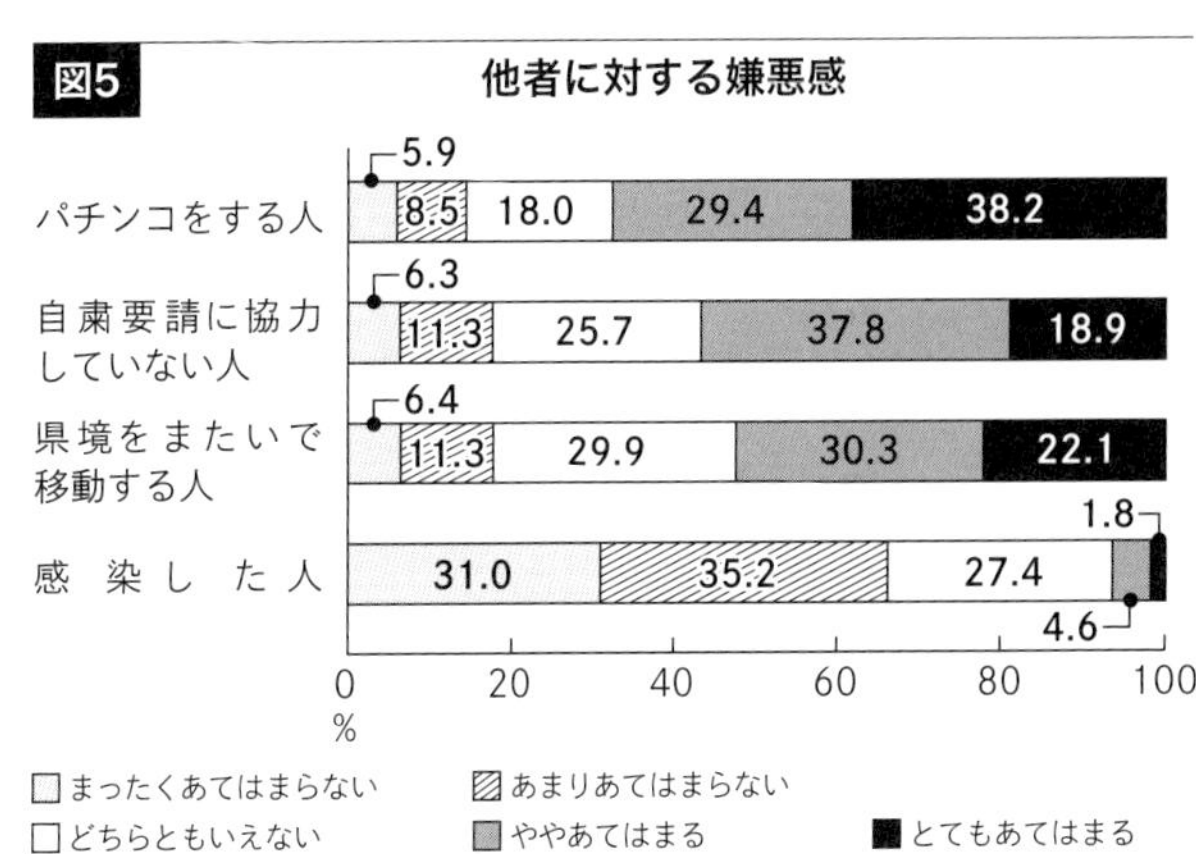

に自殺した」とか「村八分にあって引っ越しをした」といったインターネット上に、うその書き込みをするなどの嫌がらせ行為が起きました。また、医療関係者の子供が保育所などで預かりの拒否にあうという事態も発生しました。医療機関で勤務している家族がいる人が勤務先から出勤しないようにと言われたり、病院へのタクシーの配車が拒否されたという事例も報告されました。また感染者の多い地域のナンバープレートを付けた自動車に対して、嫌がらせがされるという事例も報告されました。このような偏見や差別は、対象となってしまった人の心に大きなダメージを残し、その影響は長期にわたることもある非常に大きな問題なのです。

他者に対する嫌悪感と行動免疫システム

私たちが5月に行った調査では、コロナ禍で様々な他者に対して嫌悪感を持ったかどうかについてもたずねています（図5）。感染した人に対して嫌悪感を持っていた人は「とてもあてはまる」と「ややあてはまる」を合わせても6.4％と非常に少なく、多くの人は感染者に対して嫌悪感を持っていないことがわかりました。感染者に対する偏見や差別の問題は、メディアで大きく取り上げられましたが、そのような行動をする人はごく一部で、多くの人は感染者に対しても、寛容な気持ちを持っているということが指摘できるでしょう。

その一方で、パチンコをする人に対して嫌悪感を持った人は、「とてもあてはまる」と回答した人が38・2%、「ややあてはまる」と回答した人が29・4%で、合わせて67・6%の人が嫌悪感を持っていました。また「自粛要請に協力しない人」や「県境をまたいで移動する人」に対しても、半数以上の人が嫌悪感を持っていたことがわかります。自粛すべきだという規範を守らずパチンコをしたり、県境をまたいで移動する人たちに対して、多くの人が嫌悪感を持っていました。このような感染を拡大する可能性がある人に対して、私たちが嫌悪感を持つことについては、人類が進化する過程で身に付けた行動免疫システムという心理的なシステムによって説明することができます。

私たち人類は、歴史的にみると多くの病気やウイルスと戦い、外部から侵入した病原体から身体を守るための免疫システムを進化させてきました。そのような免疫システムの一つに行動免疫システムと呼ばれるものがあります。行動免疫システムは、病原体との接触を回避するための心理的なシステムで、保菌者や罹患者を検知するために、嗅覚・視覚・聴覚などの情報を手がかりとして、嫌悪感情が生起されるようになっています。

たとえば、多くの人が不衛生な環境に生息するネズミやゴキブリを見たときに嫌悪感を抱き、気持ち悪いと思い、距離を取ろうとするのはこの行動免疫システムによる反応と考えられています。このような反応があることは、人が病原体に近づいて病気になる可能性を低くすることに役立っているのです。自粛期間中に、自粛要請にしたがわない人たちは、ウイルスを拡散する可能性があります。そのような行動を取る人に対して、私たちが嫌悪感を持つのは、行動免疫システムによる人間の本能的な反応だと解釈することができるのです。

しかし、その対象者が本当にウイルスを拡散しているのかどうかを正確に知ることはできません。なぜならパチンコをしているからといって、必ずしもウイルスを広げているわけではありませんし、本当にウイルスの感染を広げているのは別の人たちだったかもしれません。また、感染者が多く出た地域であっても、感染者の総数としてはそれほど多くはなかったので、ウイルスを持っている人は少なかったといえます。さらに新型コロナウイルスは無症状の人が感染を広げている可能性も指摘されていたため、実際にどのような人が感染を拡大させていたのかはわかりませんでした。それにもかかわらず、私たちは、「自粛をしない人たち」とか「医療関係者」とか「ある地域に住む人」というわかりやすいカテゴリーで判断し、該当する人たちを嫌ったり距離を取ったりすることによって、感染の可能性を低くする差別的な行動を取ってしまったのです。

新しい生活様式の実践

新型コロナの流行以前にも、感染症が流行する季節には、感染症の予防行動が積極的に行われてきました。みなさんも季節性のインフルエンザが流行しているときに換気をしたり部屋の湿度を適切に保ったり、うがいや手洗いをしっかりするという予防行動は行っていたはずです。新型コロナの流行ではこのような予防行動が「新しい生活様式」という名前で注目されるようになりました。これまで普通にしていた日常生活の中でも飛沫感染や接触感染を防ぐために行動を変えることが求められるようになったのです。厚生労働省は、新型コロナウイルス感染症専門家会議からの提言を踏まえて、新しい生活様式の実践例として、一人一人の基本的感染対策、日常生活を営む上での基本的生活様式、日常生活の各場面別の生活様式、働き方の新しいスタイルを提案しました。人との間隔はできるだけ2m（最低1m）あける、手洗いは30秒程度かけて水とせっけんで丁寧に洗う、3密（密集、密接、密閉）の回避などがそれにあたります。

私たちの5月の調査では、厚生労働省の提案している新しい生活様式のうち誰もが行うことのできる11項目を選び、それらをどの程度実践しているかについてもたずねています（図6）。その結果、「3密（密集、密接、密閉）を避けるようにしている」を「ややあてはまる」「とてもあてはまる」と回答した人の割合が最も高く83・3%でした。「咳エチケットを徹底している」では80・4%、「外出時、屋内にいるときや会話をするときにはマスクをしている」は77・2%と実践している人の割合が高くなっていました。その一方で、「会話をするときは可能な限り真正面を避けている」は40・8%、「家に帰ったときに顔を洗っている」は25・1%と実践する人の割合は低くなっていました。

男性と女性を比較すると、11項目のうち9項目で女性の方が男性よりも実践している人の割合が高いこともわかりました。もともと女性の方が衛生面に対する意識が高いせいもあり、感染予防行動の新しい生活様式の実践にも取り組んでいる人が多くなったと考えられます。また、女性の方が男性よりも、自分自身が新型コロナに感染する不安や、日本で新型コロナが広がる不安を強く感じていたため、その影響により、不安を解消するために新しい生活様式を実践していたという結果も確認されました。一方で、地域別でみると新しい生活様式を実践している人の割合は、東京都がもっとも高く、大阪府、岩手県という順になっていましたが、地域差は男女差に比べると

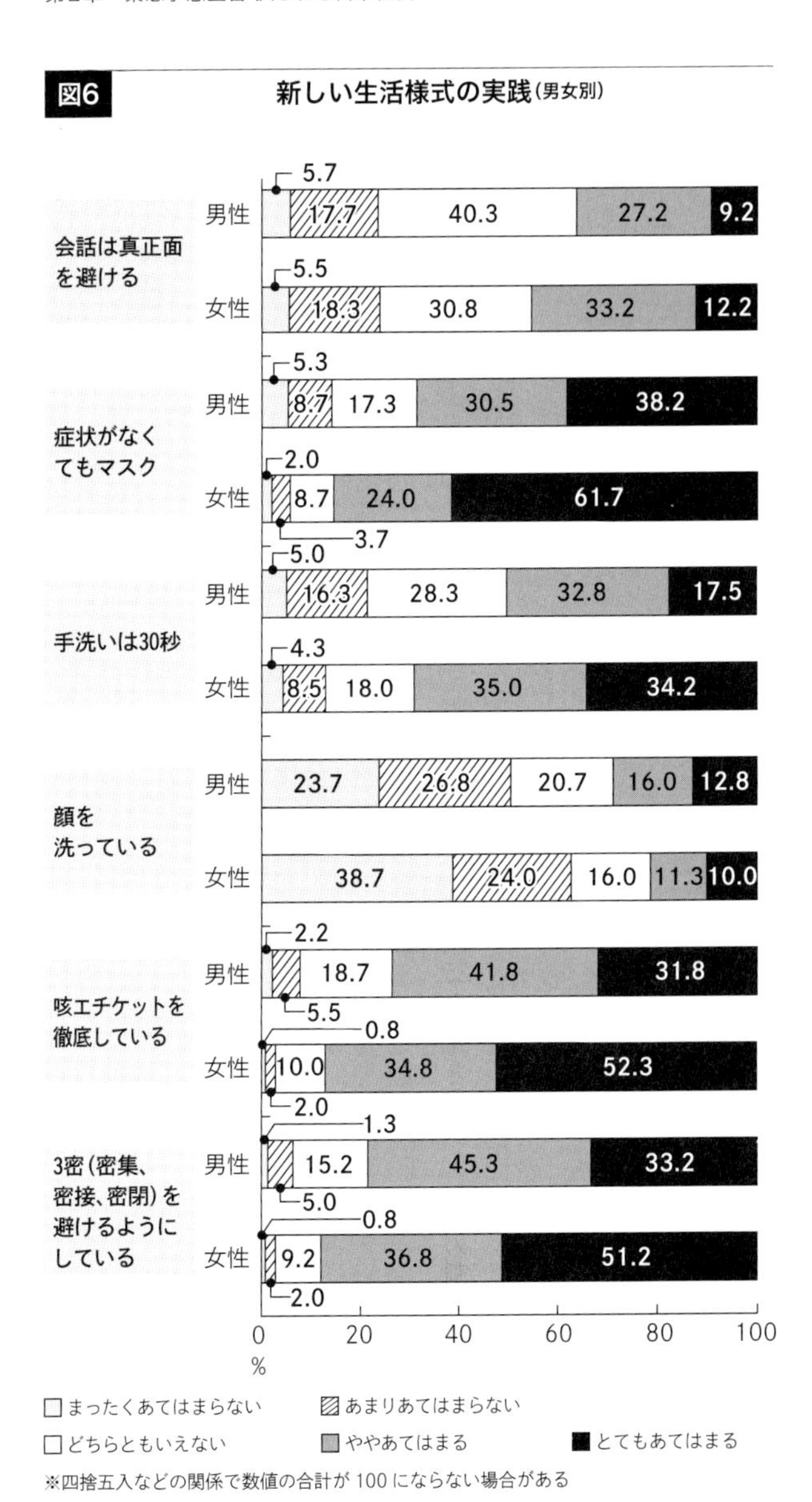
図6
新しい生活様式の実践(男女別)
会話は真正面を避ける
男性
5.7
17.7
40.3
27.2
9.2
女性
5.5
18.3
30.8
33.2
12.2
症状がなくてもマスク
男性
5.3
8.7
17.3
30.5
38.2
女性
2.0
3.7
8.7
24.0
61.7
手洗いは30秒
男性
5.0
16.3
28.3
32.8
17.5
女性
4.3
8.5
18.0
35.0
34.2
顔を洗っている
男性
23.7
26.8
20.7
16.0
12.8
女性
38.7
24.0
16.0
11.3
10.0
咳エチケットを徹底している
男性
2.2
5.5
18.7
41.8
31.8
女性
0.8
2.0
10.0
34.8
52.3
3密(密集、密接、密閉)を避けるようにしている
男性
1.3
5.0
15.2
45.3
33.2
女性
0.8
2.0
9.2
36.8
51.2
0
20
40
60
80
100
%
まったくあてはまらない
あまりあてはまらない
どちらともいえない
ややあてはまる
とてもあてはまる
※四捨五入などの関係で数値の合計が100にならない場合がある

それほど大きくはありませんでした。

感染症と人々の心理

新型コロナの拡大によって私たちは強い不安を感じ、大きな負の影響を受けました。しかし、それと同時に私たちが学んだことも多くあるはずです。感染症の流行は今後も起きる可能性があり、残念ながら、買い占め、デマ、偏見や差別の問題を完全になくすことは難しいでしょう。けれどもできることはあります。それは今回の経験をいかすことです。今回に限らず過去の災害時においても、買い占め、デマの拡散、極端で不適切な行動、偏見や攻撃的な差別をする人は、全体からみるとほんの一部の人にすぎないのです。このような実態を理解し、冷静な目を持って対応をすることが大切なのです。もしあなたの身近に、そういった行動をとる人がいたときは、あなた自身が冷静に判断することを忘れず、そういった行動を正す勇気を持つことができれば、社会は少しずつよい方向に向かうことができるはずです。

インフォデミック　その光と闇を見晴るかす

近藤誠司

ポイント

- 人類はこれからも「インフォデミック」が起きることを前提に身構える必要がある。
- 個々人の備えとして「情報のワクチン」を打つことが求められる。
- 個々人が連帯するためには「シンパシー」よりも「エンパシー」を基軸とすべし。

ファクトやリアルはどこに行った？

新型コロナウイルス感染症の流行が拡大して、世界を震撼させるニュースが次々と飛び込んできています。いったい、世の中で何が起きているのでしょうか。それを知るためには、何よりも情報が必要です。ネットを検索したり、知り合いにメッセージを送ったりして、急いで情報を探しにいく。しかし、実態はよくわかりません。不安が不安をあおり、情報の不足を臆測が埋めていく。インターネットメディアもマスメディアも、そして身近なローカルメディアも大騒ぎ。どんどん新たに情報がつくられて、その情報の真偽を確かめるために、また、次の情報に手を伸ばしてしまう。そしてときには感情のおもむくまま、自らも情報を発信し始める…。このような際限のない情報の渦を、「インフォデミック」といいます。情報（インフォメーション）が、局所的に流行する（エピデミック）という社会現象のことです。もう一歩踏み込んで言えば、「社会病理現象」と位置付けた方がよいかもしれませんね。

インフォデミックが病理にまで至った状況を、アメリカという国を例に見ておきましょう。先に結論をいえば、かの国では、「ファクト」や「リアル」が掌中から失われてしまう深刻な事態に陥っています。

図1　ニューヨーク州クオモ知事

出典：©ゲッティイメージズ

2020年5月27日、ニューヨーク州のアンドリュー・クオモ知事は、ツイッターなどを通して声明を発表しました（**図1**）。そのなかでクオモ氏は、「わたしは新型コロナウイルスをおそれている。それが何なのかという事実そのものが日々変わってしまうからだ（ファクト・キープ・チェインジング）」と述べたのです。あふれるほどに情報があるのに、本当に欲しい、確たる情報が見当たらない。手に入ったとしても、信用できない。このようなあせりやいらだちは、クオモ氏のみならず、読者のみなさんも感じたことがあるのではないでしょうか。

11月18日、新型コロナによる死者数が、ついにアメリカ一国だけで25万人を突破しました。感染判明者数は1500万人に迫る勢い。驚くべき数字です。このとき、イリノイ州のンゴジ・エザイク公衆衛生局長は「結論をいえば、コロナは現実です。これは本当に本当のこと（スーパー・リアル）なんです」と発表しました。

コロナ禍が世界的な騒ぎになってから、すでに10カ月以上も経っているのに、まだ「実はコロナって存在するんです」と言いつのっているようなありさまが、超大国で起きている。そこでは、新型コロナ患者が病院で息を引き取る直前に、「(新型コロナとは)別の理由を教えてくれ」と医師に懇願しているというのです。人生の幕を閉じる最期まで現実を直視・共有することができない。情報の洪水が、事実を事実として受け止めるべき共通の基盤を押し流してしまう悲劇こそが、インフォデミックの病理の根深さを表しています。

ダメ押しで、もうひとつだけ思い起こしておきましょう。10月2日、アメリカのトランプ大統領とメラニア夫人が新型コロナの検査をしたところ、ともに陽性反応が出たというニュースが大きく報じられました。まさに、トップ・ニュースです。みなさんは、どのように受け止めましたか。SNSの一部で、これこそが自作自演、世紀のフェイク・ニュースだという反応が見られました。そしていまも、事の真偽は未定のままだという情報が量産されています。インフォデミック禍のさなかにあっては、ウイルスのルーツやワクチンの安全性など、命にかかわる最重要の情報でさえも、その事実が宙づりになる、あるいは底抜けしてしまう副作用が生じるのです。

自己責任だけが突き刺さる―リスク社会の宿命

ここでもう少し、インフォデミック禍における情報のありかたを、社会情報学的な観点からおさえておきましょう。よく知られているように、オルポートとポストマンの「うわさの公式」が、まずは事態をシンプルに説明してくれます。いわく、うわさは、情報の重要性と曖昧性の掛け算によって、拡散の度合いが決まるというものです。確たる情報がなければ、それを埋め合わせるようにして「うわさ」がどんどん広まる。しかし、その内容が個々人にとって重要でなければ、拡散しません。たとえば、「わたし(近藤)が朝ごはんにカレーライスを食べたらしい」という情報は、たとえ曖昧性が高くても、大勢にとって――いや、失礼、誰にとっても――重要ではないので、「うわさ」にはなりえません。しかし、「アメリカの大統領がレムデシビルを投与したらしい」となれば、どうでしょう。社会にとって、世界にとって、事の重要性がけた違いに大きくなり、情報が一気に伝播していくわけです。インフォデミック禍は、「うわさの公式」が、ぴったりとあてはまります。しかしそのうえで、ひねりが何重にも効いています。

まず、高度情報社会は、わたしたちに、自身の嗜好にあわせてカスタマイズされた情報経路を与えるようになりました。人々は自分が見たい情報だけを見る暮らしに慣れてきました。ネットからレコメンド(推薦)された商品を買い、タイムラインに並ぶ情報を摂取して満足しています。こうして、グローバルに開かれた世界の中にあって、ナイーブに閉じた社会を確立していきます。似た者同士が同質な情報にふれてなぐさめあう、そんなうぶな社会は、まるで傷つきやすい「繭玉(コクーン)」のようです。自分が発した声がこだまして、また自分のもとに舞い戻ってくることに安堵してしまう。そんな閉域では、もはや情報の確度が鍛え上げられることはありません。たとえそれが「うわさ」であったとしても、自分のこころを満たしてくれるならば、もうなんだっていい…。

ここに、さらに、ウルリッヒ・ベックがいう「リスク社会」の機序が、ひねりを加えます。情報のテクノロジーが進化すればするほど、「危険」が巨大化し、潜在的なリスクを生み出していく潮流です。たとえば、通信速度が増すほどに、「うわさ」の広まり方は速まっていきます。ワンクリックした瞬間に、全世界に情報が拡散してしまい、もう取り返しがつかなくなる。それを統御する技術を進化させようと躍起になると、いざそのシステムが壊れたときの損失は、もはや測りようもないくらい莫大な規模に膨らんでしまいます。この「リスク社会」の〝チキンレース〟からは、だれも逃れることはできません。好むと好まざるとにかかわらず、世界中のだれもがすでにして投げ込まれてしまっているのです。繭玉に安住していようがいまいが、そんなことはお構いなしに、わたしたちはリスクをテイクしなければならない。情報が生み出す損失の責任は、他でもない、あなた自身にあるのです。簡単にいえば、リスク社会では「知らなかった」では済まされない。だって、ネットを検索すれば、ほとんどどんな情報でも手に入ったはずなのですから。本気で調べなかった、あなたのせいになってしまうのです。

インフォデミックの〝ツボ〟をおす

さて、ここまで、ひといきにインフォデミックの病理の大局的なイメージをなぞってみました。ご存じの通り、世界保健機関（WHO）は、コロナ禍を「パンデミック（世界的流行）」と認定するずっと前から、「インフォデミックに警戒せよ」と注意を促していました。国連では、デマを監視するチームを結成して、情報発信していましたよね。え？　知らなかった？　それでは済まされないのです。なんだか気分が悪くなってきましたか？　いや、待ってください。ここからが本題です。

このあと、コロナ禍に引き寄せて、インフォデミックの〝ツボ〟を3つ見ていきます。ここにいう〝ツボ〟は、いわば、血のめぐりが悪くなっている〝コリ〟がある箇所のことです。そこを適度におしてみると、実は良いこともある。だから、ここからは、〝ツボ〟の特性、光と闇、功と罪の両面を見ていきましょう。

そして、3つの〝ツボ〟の視座をふまえたうえで、わたしたちは今後どのようにインフォデミックの病理と向き合えばよいのか、わたしなりの処方箋を提示したいと思います。この章の最後まで読まないと、もやもやした気分は晴れません。では、進みましょう。

インフォデミックの闇と光(1)　その善意がこわいのです

ここまでは、「うわさ」という言葉を使ってきましたが、厳密に仕分けするならば、だれかを貶めようとする悪意のある「うわさ」のことは、「デマ」と呼びます。デマゴギーという用語の省略形ですね。ところで、コロナ禍と対峙しているみなさんが直観しているとおり、このデマの本質が、いま、どんどん変容しています。もしくは、ようやくデマの本性が見えてきたといっても過言ではないかもしれません。

順を追って確認していきましょう。今回のコロナ禍の最初期には、「1892年に出版された本のなかで中国の武漢を発端として新型肺炎が流行することがすでに予言されている」など、他愛もないデマがふりまかれる一方で、「感染者の3割が在留外国人」「フロリダで中国人がマスクを買い占めて強制捜査が行われている」などの差別的な言質もたくさん拡散されていました。そして、イランでは、「アルコールを飲めば新型コロナウイルスを撃退できる」とのネット情報を信じて密造酒を飲んだ人たちが死亡したと報じられたり、イギリスでは、「新型コロナが感染拡大しているのは5G——第5世代移動通信システム——が原因だ」とする陰謀論が広まり、複数の電波塔が放火される事件が起きたりしました。実害まで出るようになったのです。

ところで、みなさんは、以下に紹介する情報を見聞きしませんでしたか。4月上旬、愛知県警が広報課の公式ツイッターを通して「深く息を吸って10秒我慢し、咳や息切れがしなければ新型コロナウイルス感染の可能性は低い」などの誤った情報を投稿したのです。その後、県警は謝罪しました。これは「デマ」です。しかし、本質がずれている。当初は、この情報は「善意」で発出されていました。だれかを困らせてやろうとする意図はなかったはずです。しかし、結果として、多くの混乱を招いてしまったし、事の顚末を最後まで見届けていなかった人のなかには、この情報を信じて拡散する側に回った人もいました。さらに、騒動に乗じて、悪意をもって異なるバリエーションの情報を流す人も出ました。コロナ禍を圧倒的に矮小化したい人たちを利することにもつながったのです。

このように、善意が悪意に転化する。善意と悪意の境界が無化してしまうことがある。これが、インフォデミックの渦中で起きていた「うわさ・デマ」のダイナミズムです。そしてそれは、いまでも続いています。この潮流に無自覚に棹をさすと、しだいに、意図なんてどうだっていいという感覚が芽生えてきます。こうして、情報を人々の掌中から切り離していくと、もはや些末なミステイクでさえも許せなくなります。たがいにあげ足取りに終始してしまい、閉塞した情報空間をつくりだしていくことになります。

ここに、光を見いだせるでしょうか。ええ、もちろんあります。「善意」という意図を保持した情報のリレーが、これまでにいくつも生み出されてきました。一例を示します。コロナ禍では、手話通訳者の口元がマスクに覆われると、手話の内容が読み取りにくくなってしまうという問題が生じました。そこで、アメリカの大学生が透明なマスクを制作しはじめていました。日本でも、たとえば兵庫県内の団体が、同じように透明のマスクの制作を手掛けていました。これをメディアが報道し、ネットでも情報が広がり、支援の輪が生まれていきました。他にも、インドネシアなど世界各国で同様の動きがあったのです。具体的な人々――ここでは、聴覚障害者――の存在に結び付いた「善意」の情報が共通の基盤となれば、わずかなミステイクは許し合い、みんなで補正していくことができます。先に見たように、ただただ情報を「それはデマだ」と排撃し合う社会は、実は何も生み出すことはできないのです。

インフォデミックの闇と光(2)　おまえは敵だ、いや味方です

突然ですが、みなさんは、メアリー・マローンのことをご存じですか？　ニックネームは、「腸チフスのメアリー」です。ひどいあだ名ですよね。

図2　腸チフスのメアリー

出典：©ゲッティイメージズ

アメリカのニューヨーク州で家政婦をしていた彼女は、無症状の腸チフス感染者（健康保菌者）でした。本人の意図とは無関係にあちこちで感染を広げてしまい、最終的にはノース・ブラザー島で20年以上も隔離されることになりました。当時の新聞紙面を見ると、料理している彼女の手元には、髑髏が描かれています（**図2**）。感染者を危険視して、社会から排除する構えです。時代は、20世紀の初頭ですから、いたしかたないと思うかもしれませんが、しかし、これは現在にも通じるところがあります。

マスメディアの報道を見ていると、感染を広げやすい特性があると想定される人を「スーパースプレッダー」と名付けて、まるで犯人捜しをするかのように報道したり、クラスター（感染者集団）となった集団の一挙

手一投足をあげつらったりしています。大学生が集団感染をした際には、6次感染先まで子細に報道したことによって、騒動が拡大したケースもありました。該当する学生がアルバイトをやめることになったり、関係者を脅迫するメッセージが届いたり、やはり実害が出ました。また、残念なことに、医療関係者の家族を危険視する発言や反応も全国各地で見られました。これらは、誤った情報の断片が存在するがゆえに混乱が助長された事例です。

日本では、過密な都市部を離れる「コロナ疎開」の動きに合わせて、車の往来を監視してネットに個人情報をさらすような動きもたくさん見られました。営業の自粛を求められた飲食店を監視する「自粛警察」なるものも現れました。敵か味方か、ただそれだけを峻別する情報を手にしようとする短絡した感性…。もちろんこうした事態は、日本社会だけに起きたわけではありません。ただし、わたしが関西大学社会安全学部の同僚と実施した「海外に駐在している日本人を対象とした調査」の結果をふまえると、同質性を前提として結束しようとする日本社会においては、特に顕著に現れていたようです。

図3　**新型コロナ「3つの顔」**

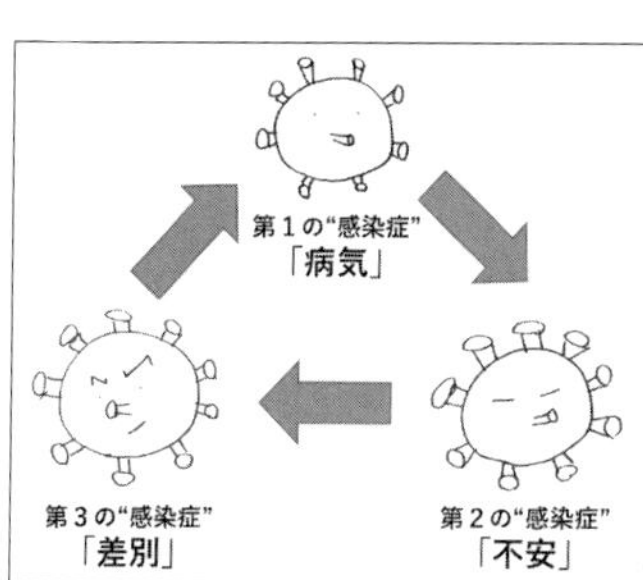

出典：日本赤十字社「新型コロナウイルスの3つの顔を知ろう！」

では、ここにも光は見いだせるでしょうか。わたしは、早くから行われていた日本赤十字社のキャンペーンに注目したいと思います。日本赤十字社のイラストを見たことがあるでしょうか（**図3**）。新型コロナに感染すること以上に、不安や憎悪などの「こころのウイルス」に感染することが人々に災いを及ぼすことを、わかりやすく絵解きしてくれていました。イラストにあるとおり、情報と心理の「負のスパイラル」を、まずは皆が自覚することが必要です。そのうえで、「分断」ではなくて「連帯」の回路を見いだしていくアクションが求められます。この「連帯」の重要性は、イスラエルの著名な歴史学者、ユヴァル・ノア・ハラリ氏らも早くから指摘していました。そこではグローバル社会を念頭に置いて提唱している場合がほとんどでしたが、本章では異なる例を示しておきましょう。

たとえば、コミュニティ・ベースの「連帯」は、世界中でリバイバルされていました。中国では「小区」という単位で、封鎖された都市にあっても"買い物難民"が生まれないように助け合っていました。インドネシアでは「ゴトンヨロン」の精神で支え合ったり、フィリピンでは「バランガイ」のつながりを生かしたりしていました。日本でも、地方自治体や集落ごとに、「コロナに負けない」というメッセージを発信し合っています。その「連帯」を基盤としながらも、インターローカルな取り組みの輪があちこちで見られました。明瞭なケースとしては、「姉妹都市」や「友好町」の枠組みを生かして、マスクを贈り届けるような取り組みです。これまであったつながりを賦活して、たがいに励まし合う。ここには、情報が介在しています。いま、だれが、どんなふうに悩み苦しんでいるのか、どのような支援が必要なのか。リアルタイムに状況が把握できるような情報環境が整備されているからこそ、ZOOMなどのオンラインシステムなども活用して、効果的に結束できたわけです。「うまくつながれた。支援、ありがとう」というメッセージが、また新たな情報となって、人々の背中をおしてくれていたように思います。医療従事者に対する感謝の思いを伝えるムーブメントも、コミュニティという枠組みを土壌として、ときに国中に、ときに世界中に広がりを見せていきました。

インフォデミックの闇と光(3)　かえって見えなくなりました

さいごの"ツボ"は、情報による可視化と不可視化の問題です。「見えるようになる」と「見えなくなる」という潮流が激しくぶつかりあっています。どういうことでしょうか。

たとえば、そもそも新型コロナウイルスは小さすぎてわたしたちには見えません。正体がわからないので、なおさらこわい。しかし、科学技術の進展によって、実際には姿かたちが見えるようになっています(図4)。

図4　新型コロナウイルスの電子顕微鏡写真

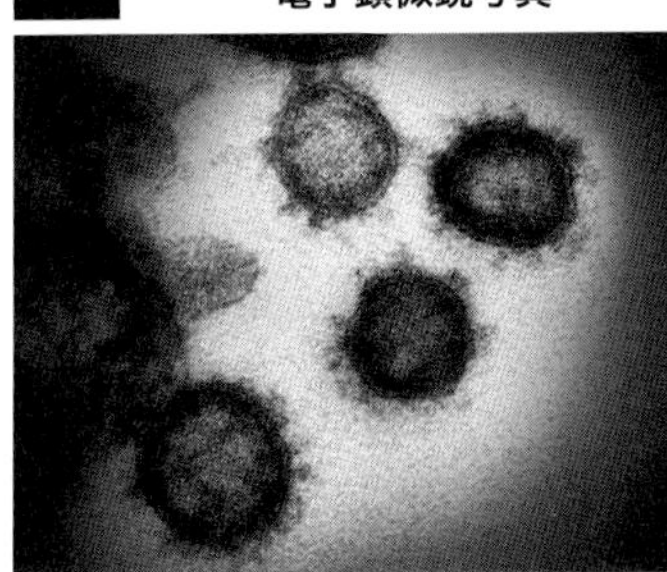

提供：米国立アレルギー感染症研究所

流行拡大の具合も、感染判明者数や重症患者数が日々報告されて、すぐにグラフ化され、目の前に立ち現れてくれます。また、人々の動きに関する情報も入手しやすくなっています。混雑度マップなどが簡単に参照できるようになりました。さらに、「新型コロナウイルス接触確認アプリ(COCOA)」をインストールすれば、陽性者と接触した可能性が通知されるようになりました。感染リスクに関する情報がわかりやすく可視化されているわけです。

とっても便利になりました。しかし、落とし穴もあります。デジタルの情報が多すぎて、理解が追い付かない人もいます。情報格差(デジタル・ディバイド)は、埋まるどころか広がる一方です。「Go To トラベル」などの支援が、結局は高齢者や障害者を置き去りにしてきたことは、多くの人からは見えなくなっています。たくさんトラブルが起きて次から次へと情報が送り届けられるので、重要な情報が埋没しています。連日連夜、新型コロナの報道が続いていた帰結として、すでに2020年の春の段階で「コロナ疲れ」という言葉が流行していました。情報が豊富にありすぎることで、かえって事態に背を向ける人を生み出していたとするならば、まさにそれは逆効果というものです。

もう少し、この点をおさえておきましょう。可視化されたことがすべてだと思い込むと、わたしたちは視野狭窄に陥ってしまいます。コロナ禍にあって、しんどさに声をあげられずにいる人たちが大勢いる。しかし、声高に叫んでいる人ばかりがフォーカスされて、プレゼンスの大きな情報ばかりに翻弄されていると、わたしたちは声なき声に耳を傾ける機運を失ってしまいます。高度情報社会では、情報が個々人にダイレクトに届くことが多いので、自分には無関係だと思った瞬間にダストボックスに送ってしまいます。しかし、「この情報は、障害があるあの人に役立つんじゃないかしら」「この情報を近所のお年寄りに伝えてあげたら喜ぶかな」、そうした慮りがあれば、情報を「生きた情報」に変えることができます。情報は、ただそこにあるだけではダメで、暮らしの「セーフティーネット」の中に、もういちど位置づけし直してあげることが重要なのです。

情報の集団免疫を高め、情報のワクチンを打つ

さて、インフォデミックの〝ツボ〟を通覧してきました。ここから、わたしたちはどのような処方を考えることができるでしょうか。

まず、"ありがち" で "あさはかな" 助言としては、「過剰な情報を遮断せよ」というものがあります。たしかに、病的なまでに情報によってきりきり舞いさせられていては身が持ちません。ですので、自身が倒れそうであるならば、応急処置として情報の摂取を制限した方がよいでしょう。しかし、情報を遠ざけていれば解決するかといえば、答えは「否」です。情報環境において、１００パーセントまじりけのない、真実のみで純粋培養された状況を仮構することの方が、どだい無理な話です。いかがわしい情報にもふれながら、清濁併せ呑むタフネスを鍛えていった方が、長い目で見たときに威力を発揮するはずです。これは、公衆衛生においても同じことがいえるでしょう。感染を回避しようとゼロリスクを追求して潔癖を守りぬくことが、かえって生物としてのヒトの免疫力を切り下げてしまうのです。

公衆衛生のアナロジーをさらに敷衍すれば、わたしたちは情報に対する集団免疫を高めて、情報のワクチンを打つべきなのです。人が人に情報を伝えるときには、順機能も逆機能も起こりえる。メッセージとメタメッセージが相矛盾することだってある。ディスインフォーションもミスインフォメーションも次々と登場するものなのです。それを前提とする覚悟をもって、サバイブする力を鍛えあいましょう。キーワードは、だからやはり「連帯」なのです。

全集中！　進化を支える紐帯とエンパシー

ウルリッヒ・ベックは「リスクのまえの連帯」というコンセプトを提起していました。わたしたちは、未知なるリスクと向き合わざるを得ないという点において平等であり、きっと手を取り結ぶことができる。ユヴァル・ノア・ハラリ氏は、「連帯」は人類の進化の前提条件であるとみなしています。いわく、人は子育てをする際に、仲間の力を借りるしかない弱い存在です。そうしたなかにあって、社会的な紐帯を生かせる者たちだけが、サピエンス史のサバイブの中で「優遇されてきた」のです。

では、コロナ禍をふまえて、わたしたちが「連帯」を具現化していくためには、どんなことを大事にしたらよいでしょうか。人々をつなぐ情報に魂を吹き込む〝肝心かなめ〟の要素、それは「エンパシー」、すなわち「共感」だとわたしは考えます。「シンパシー」ではないことに注意してください。わが身を安全地帯に置いて傍観しながら同情する(シンパシー)ような関わりからは、インフォデミックの陥穽を乗り越える情報を共有することはできません。そうではなくて、ともにこの苦難を感覚しながら、ともにリスクに立ち向かおうとチャレンジすること。言い換えるならば「受苦」――英語で「パッション」といいます――を観念した「共感」(エンパシー)だけが、情報を「連帯」に向けた無限の動力源へと転換していくことでしょう。情報は、抽象的な世界のためにあるのではなくて、具体的な特個のいのちのためにあるからです。今回のインフォデミックを奇貨として、情報に対する感受性をともに磨いていきましょう。

第3章

政府対応のネクストステージ

関西大学社会安全学部　教授

永田尚三（ながた・しょうぞう）

清和大学法学部助手、武蔵野女子大学専任講師、武蔵野大学准教授を経て現職。著書に、『消防の広域再編の研究―広域行政と消防行政―』等がある。日本公共政策学会事務局長（兼理事）、日本オンブズマン学会理事、一般社団法人共生社会支援協議会（RASA）理事長、株式会社タヌキテック顧問。

関西大学社会安全学部　教授

土田昭司（つちだ・しょうじ）

東京大学大学院社会学研究科博士課程単位取得満期退学。大阪大学人間科学部助手、明治大学文学部助教授、関西大学社会学部教授などを経て現職。リスクコミュニケーション、リスク認知論担当。社会心理学の立場から安全への意識や行動を研究している。現在、アジアリスク解析学会会長、日本原子力学会理事。国際リスク解析学会、日本リスク研究学会、日本心理学会、日本応用心理学会から学会賞などを受賞。

政治過程から新型コロナ後の国と自治体・危機管理の在り方を考える

永田尚三

ポイント

- 新型コロナ対応の行政側の主な主体である、国―都道府県間で、様々な対立が生じている。
- これらの対立は、国―都道府県間の各種資源の偏在から生じている側面がある。
- 道州制で国―都道府県間の資源の偏在の整理がポストコロナでは必要。
- 海外では、オールハザードアプローチのような先取り型危機管理体制が採用されている。
- ポストコロナでは、危機管理の視点も絡めた道州制議論が必要だ。

抜本的な体制の見直しが求められるポストコロナ

今回のCOVID―19（以下、新型コロナ）によるパンデミック（世界的大流行）は、社会の各方面に極めて大きな影響を与えています。今まさに、国、都道府県、市町村、各層の行政組織に、迅速で的確な対応が求められています。ただ緊急事態宣言前後の初期対応においては、国と都道府県との対立（コンフリクト）が各局面で見られました。そしてそれが、混乱や対応の遅れの原因となったと思われる側面があります。

改正新型インフルエンザ等対策特別措置法（以下、特措法）は、中間的自治体である都道府県に大きな権限を与えています。これは、災害対策基本法が市町村中心主義なのと対照的です。何故なら、パンデミックへの対応は医学的専門性と広域的な対応が必要で、それは市町村では困難だからです。ところが今回のコロナ禍では、特措法における国、都道府県間の権限配分が不明確で、国が都道府県の決定に介入し、両者間にコンフリクトが生じ、混乱や対応の遅れへとつながりました。また、補償の財源が無いことで、休業要請を躊躇する県も現れました。さらに、検査体制や病床の確保でも大きな地域間格差が見られました。国の介入は、行き過ぎた面もある一方で、国が都道府県の新型コロナへの対応能力を不安視している側面もあることを示しました。

またコロナ禍は、極めて大きな危機が発生した場合、その社会的ダメージがいかに大きいかを示しました。今後、同様な危機により迅速に対応可能な危機管理体制はどうあるべきかについての社会的関心は非常に高まっています。本稿では、国と都道府県のコンフリクトに着目し、初動体制において、わが国の新型コロナ対応にどのような問題が見られたか。また、今後同様な事態が生じた際に、迅速に対応可能な危機管理対応体制の強化を図るためには、どのような中央地方関係が望ましいのかについて考察を試みたいと思います。

新型コロナ対応において国─都道府県間で生じたコンフリクト

（1）　中央地方間のコンフリクトを見る視座

では、新型コロナ対応をめぐる中央地方関係における政治行政過程で、どのようなコンフリクトが生じたのか、見ていきたいと思います。その作業の前にまず、行政組織にとって必要な資源とは何か定義しておきます。ローズは行政組織の必要資源を、①法的資源②財政的資源③政治的資源④情報資源⑤組織資源―の5つに分類しました(Rhodes, R.A.W, Intergovemmental Relations in the United Kingdom, 1985)。①法的資源とは、法令や制度的慣習によって与えられた強制あるいは裁量的権限のこと②財政的資源は、税金や借入金等を原資とした公共部門の予算のこと③政治的資源は、政策決定過程への参加や、政治家を動員しての資源調達能力のこと④情報資源は、様々な情報を保有し、その獲得および提供の一方ないしは双方を管理すること⑤組織資源は、人的資源、技術資源、土地や施設、装備などの資産を所有し、仲介者を経ずに直接行為することができる能力のことです。これら全ての必要とする資源を保有している組織は無いので、どのような組織も足りない資源を他の組織と交換して補おうとします。そこから組織間関係や、コンフリクトも生じるのです。本稿ではこの5つの資源のうち、今回は①法的資源②財政的資源③政治的資源を分析対象にし、国―都道府県間のコンフリクトを見ていきたいと思います。

(2) 法的資源をめぐる東京都と国のコンフリクト

まず、法的資源をめぐる中央地方関係から見ていきます。安倍晋三首相(当時)が東京などに緊急事態宣言発令を行う方向での意思を決めた2020年4月6日午後4時頃、東京都は都議会の各会派に対し、休業要請の対象業種リストを示しました。この時には、東京都は緊急事態宣言と同時に百貨店やホームセンター、理髪店、居酒屋など幅広い業種に宣言期間中の休業要請を行うつもりで、それを6日の午後5時から発表する予定でした。しかしリストを入手した政府は、経済への影響を恐れて東京都に待ったをかけたのです。緊急事態宣言を発令した7日に、「具体的手続きを定めた「基本的対処方針」を改定し、発令後も事業継続が求められる業者として百貨店、ホームセンター、理髪店などを列挙しました。さらに、知事による要請は「国に協議の上、外出自粛要請の効果を見極めた上で行う」との文言も追加し、都の動きにストップを掛けました（『時事ドットコム』２０２０年4月10日）。その4日後の10日に、東京都は政府を押し切る形で休業要請を発表しました。そして西村康稔経済再生担当大臣が、小池百合子都知事を批判する結果となりました。

特措法は、２００９年の新型インフルエンザの流行をきっかけに、２０１３年に施行された法律です。新型コロナにも使えるように、２０２０年3月に改正されました。感染拡大防止対策における、国と地方の役割分担等を規定しており、今回の政府や地方公共団体の新型コロナ対応の根幹をなす法律です。本法律では、都道府県知事に強い権限を与えています。都道府県知事は、外出自粛の期間や範囲、休業要請の対象の判断等を決めることができます。また都道府県知事は、市町村長に対し総合調整（助言、要請、勧告）や、指示ができます。これは、災害対策基本法が市町村中心主義なのと対照的です。パンデミックへの対応は医学的専門性と、感染症対策が一つの市町村の区域では完結しないため広域的な対応が必要で、それは市町村では困難だからです。

一方、特措法は国の対策本部長にも、都道府県に対し総合調整（助言、要請、勧告）や、指示ができる権限を与え、国が都道府県に関与できる法的余地を残しています。これらのうちで最も強力な権限である指示は、相手組織に対し一定の方針や基準、手続きを示し、特定の事柄を実施させることで、法的には指揮命令よりは弱いものとさ

表1 指示、勧告、指導、助言の違い

指示	一定の方針・基準・手続きを示し、それを実施させること。	司令命令よりは弱いが、**法的拘束力があるとされるが、従わなかった場合の具体的ペナルティーは定められていない場合が多い。**
勧告	ある事柄を申し出て、それに沿う措置を勧める又は促す行為。	指揮命令関係の無い機関間で、**相互の自主性を尊重しつつ**、専門的立場から意見を言うこと。**法的拘束力はない。**
指導	相手側の任意の協力を得て、望ましい方向に相手側を同調させる行為。	
助言	ある機関に対し、他のものがある行為をなすべきことを進言すること。	

れています。「指示は、法令により一定の事項について他の機関または者に対して統制的な権限を与えている機関がこれらの機関に対して行うものであるから、その拘束力は実際的には指揮または命令に準じるものということができよう（工藤敦夫、角田禮次郎、茂串俊、他『法令用語辞典』学陽書房、2016年）」としています。一定の法的拘束力があるという見解が一般的です。しかし、特措法において、都道府県が国の指示に従わなかった場合の、具体的ペナルティーは定められていません。したがって、都道府県が従わなかった場合、国は法的に従わす手段が無いのです。指示、勧告、指導、助言の違いをまとめたのが、**表1**です。

組織関係論の視点から本件をみると、法的ルールを決定できる国は、法的資源に関し都道府県に対し、一般的には圧倒的なパワー優位性を持ちます。しかし特措法は、外出自粛の期間や範囲、休業要請の対象の判断等国民生活に重要な影響を与える事案に対し、国と都道府県の意向が対立した場合に、都道府県が押し切れてしまう強い権限（法的資源）を都道府県に認めています。よって特措法においては、都道府県に強い権限を与えている事項に関しては、仮に国の意向に反したとしても、国は都道府県を従わす方策は事実上ないのです。そのため、国は事態の深刻化が進む中で、特措法が定めている都

道府県の強い権限に対し、関与できる法的裏付けを後付けで整備しました。そして都道府県に対し影響力を行使しようとしたのでコンフリクトが生じたと解釈できます。

もう少し詳細な説明を加えると、法律の制定や改正は国会を通さねばなりませんが、わが国の官僚は法令の具体的な運用方法を示す細則(政令や通達等)を定められる行政立法の権限や、法律をどのように解釈するか決められる法令解釈権を有しています。そのため法的資源は国に集中し、通常は国の都道府県や市町村、その他の下位行政組織に対するパワー優位性につながっています。しかし、2009年の新型インフルエンザ流行時には、大阪府が学級閉鎖を行ったが政令市の大阪や堺市はそれに従いませんでした。そのような教訓から、2012年に作られた特措法においては、当時の民主党政権が外出自粛や休業要請などにおいて都道府県知事の権限強化を行ったという経緯があります。加えて民主党政権が地域主権を掲げていたことも後押しとなり、国の都道府県に対する関与の手段は指示のみに限定されました。ただ、今回の新型コロナ対応において2020年4月16日に緊急事態宣言の全国拡大にあたり、休業要請や外出要請に関して対応が鈍い都道府県も存在しました。そのような都道府県における新型コロナ対応のスピード感の格差を是正するため、従来の国の都道府県に対する総合調整(助言、要請、勧告)や指示ができる権限以外に、4月の緊急事態宣言発令に伴って「基本的対処方針」が改正されたのです。国が自由に変更可能な行政計画である「基本的対処方針」では、自粛要請を「国に協議の上」行うとの文言が入れられました。これにより、休業要請や外出自粛要請を都道府県がその気になれば国の反対を押し切って実施することも可能ですが、実際にはそう簡単にフリーハンドで決定できるものでは無くなったのです。

（3）　財政的資源をめぐる一部都道府県と国のコンフリクト

新型コロナ対応では、財政的資源をめぐっても国と都道府県間においてコンフリクトが発生しました。東京都が前述の休業要請に伴い事業者への最大100万円の協力金支給を決めた際、財政力の弱い道府県は国による支給を期待しました。4月16日の緊急事態宣言の全国拡大の際も、新たに加わった道府県の財政的支援に対する不安は大きいものがありました。しかし17日に安倍首相は、国による休業補償を無原則に行うことを否定しました。国が新型コロナ対策として地方自治体に提供する財政的資源としては、1兆円の地方創生臨時交付金があります。都道府県は、これを休業要請に応じた事業者への休業補償として充てることを望みましたが、国は休業補償として使うことを認めませんでした。西村担当大臣も再三否定し、国から法人に200万円、個人事業主に最大100万円支給する「持続化給付金」で対応するとしました。

組織間関係論の視点からみると、新型コロナ対応においては、国も十分に対応可能な財政的資源を保有しておらず、休業要請には休業補償がセットであると考える財政的資源を保有していない都道府県との間で、コンフリクトが生じたと言えます。

（4）　政治資源をめぐる大阪府と国のコンフリクト

さらに、上記の財政的資源をめぐる国と都道府県間のコンフリクトは、都道府県が保有する政治的資源も巻き込む形となりました。２０２０年1月20日から6月17日まで開催された第２０１回国会では、与野党を問わず国の直接的休業補償を休業要請とセットで求める要望が地方選出の国会議員から数多く出されました。この国会においては、国の休業補償を求める国会議員からの発言は１０５件もありました。また全国知事会は、国に対し休業補償等の財政的支援を再三要請しました。

また一部の都道府県にとっては、政治的資源の側面において国とのコンフリクトが都合が良い側面もありました。5月6日に、大阪府は緊急事態宣言の延長を受けて、自粛解除に向けた独自の大阪モデルを公表しました。大阪モデルは、全国に先駆けて明確な数値で自粛解除の出口を示そうとするもので、①重症病床の使用率②感染経路不明者の数③陽性者の割合（陽性率）の３つの指標を柱としていました。この大阪モデルを吉村洋文大阪府知事が発表をした際に、国に対して、具体的な出口の基準を示さない国を無責任と批判し、西村担当大臣がそれに反論するという事態が生じました。見方によれば、このコンフリクトで住民の支持という政治的資源を大阪府は獲得することができたといえます。ただ見落としてはいけないのは、国の対応への批判を当初より正面からできたのは、政権ともつながりの深い日本維新の会という中央での政治的資源をバックに持つ大阪府や、豊富な財政的資源を持つ東京都だけだったということです。

新型コロナ対応で明らかになった広域応援の限界

また行政組織間の水平的な関係から見ると、新型コロナへの対応においては、都道府県間の広域応援による水平的な助け合いの限界が明らかになったように思われます。自然災害への対応においては、東日本大震災以降、地方自治体間の広域応援による水平的補完体制の強化が精緻化してきています。

ところが、今回の新型コロナへの対応においては、自然災害時と比較すると非常に都道府県間の広域応援の影が薄かったように思われます。これは、新型コロナによる対応を迫られているのが、全国すべての地域に及んでいることが背景にあります。広域応援は、他地域を助ける余裕のある地域があって初めて機能する制度です。それがない、今回のような事態においては、十分には機能しないことが明らかになりました。

危機管理における中間的自治体への期待

これら各資源における行政組織間のコンフリクトの背景を見ていくと、垂直的関係において、国家的危機に対し全ての資源を保有していないのに全てを統制しようとする国と、保有する資源不足からその対応能力を全ては信用できない都道府県といった構図が見えてきます。危機に対応する場合、前述の財政的資源不足から休業要請に一部の道府県が躊躇した事例からは、法的資源といった一部の資源のみ強化しても大きな危機には十分に対応できないことを示しています。危機管理能力向上のためには、中央地方間の各種資源の偏在や混在を整理し直し、危機に迅速に対応できる体制を構築する必要性があります。

これについては大きく国に権限や各種資源を集中させる選択肢と、中間的自治体に集中させる選択肢の2パターンが考えられます。今回の新型コロナへの現時点までの対応で、被害を大きく抑え込めている国々を見ると、国家が強権で国民の権利を抑え込むことが可能な社会主義や開発独裁の政治体制を取っている前者のパターンの国々が多いように思われます。ただ、わが国のような民主主義的な政治体制の下で、そのような強権的対応を取るのには限界があります。またこのような強権的対応が有効なのは、様々な特殊災害対応全てに対してでは無い点、留意が必要です。コロナ禍後に構築すべき危機管理体制は、感染症のパンデミックだけに有効な体制であってはなりません。

わが国で現実的なのは、中間的自治体に各種資源を集中させる、後者の方の選択肢ではないかと思われます。このパターンだと、垂直的補完も水平的補完も十分に機能しないような事態が生じた場合でも、各地域が危機に地域の実情に合った形で、自立的な危機対応が可能です。特に、パンデミックやその他の特殊災害においては高度な専門性や、広域的対応が求められる場合が多くなります。市町村では、自然災害には対応可能でも、特殊災害に市町村で対応するのは限界があります。中間的自治体が垂直的補完で、特殊災害発生時も市町村を助ける体制整備が必要です。近年は、高齢化等の流れにより、中山間地域等においては限界集落も発生し、中長期的には自然災害への対応も十分にできない市町村の発生が危惧されます。そのような基礎的自治体に対しては、平常時から中間的自治体が直轄で防災行政や消防行政あるいは危機管理行政を行うような体制も、今後検討が必要であるように思われます。このような視点から、今後都道府県の危機管理体制における役割の強化が必要です。

都道府県の強化策として想起されるのが、道州制の議論です。全国47都道府県を10程度の「道」と「州」に広域再編し、そこに国から大幅な権限を移譲すべきであるとする考え方です。２０００年代に非常に議論が盛り上がったのですが、ここ10年間ほど低調になっています。議論が低調になった背景には、いくつかの要因がありますが、大阪都構想の存在は大きかったように思われます。大阪都構想は、政令指定都市である大阪市を廃止して、大阪都に権限、財源を集中させるという議論でしたが、既存の都道府県制を前提にした構想です。維新の会と関係の深い与党自民党としては、大阪都構想の方向性が決まらぬうちは、都道府県制自体を見直す道州制の議論を再開しにくかった側面があるように思われます。ただ、2度目の住民投票で大阪都構想が否決されたことにより、今後道州制の議論が改めて始まる可能性が高いと思います。その際には、感染症のパンデミックのみならず様々なハザードに対応可能な危機管理体制についての議論も、併せて行うべきであると考えます。

オールハザード型管理体制

その際、参考になると思われるのが、近年欧米で導入が進められていたオールハザードアプローチです。オールハザードアプローチという用語が一般に使われ始めたのは、2001年9月11日のアメリカ同時多発テロ事件以降のことです。比較的新しい概念で、論者によっても定義が異なりますが、「All-Hazardsアプローチは、各種災害対策に共通して必要な機能や能力(対応・復旧・軽減・防護)を分析・抽出して包括的かつ一元的なシステムを形成するというのがコンセプト。核攻撃という異例かつ特殊なインシデントの対策にも、円滑な情報共有や多組織間連携による効率的かつ効果的な緊急事態管理を実現するために例外なく適用されている。災害やインシデントを引き起こす自然・人為各種のハザードごとの特殊性を考慮して個別制度を設けるハザード特化型とは異なる」(伊藤潤「国土安全保障における緊急事態管理と All-Hazards Approach―核攻撃事態の対応・復旧計画を事例に―」

図1　ドイツの危機管理体制

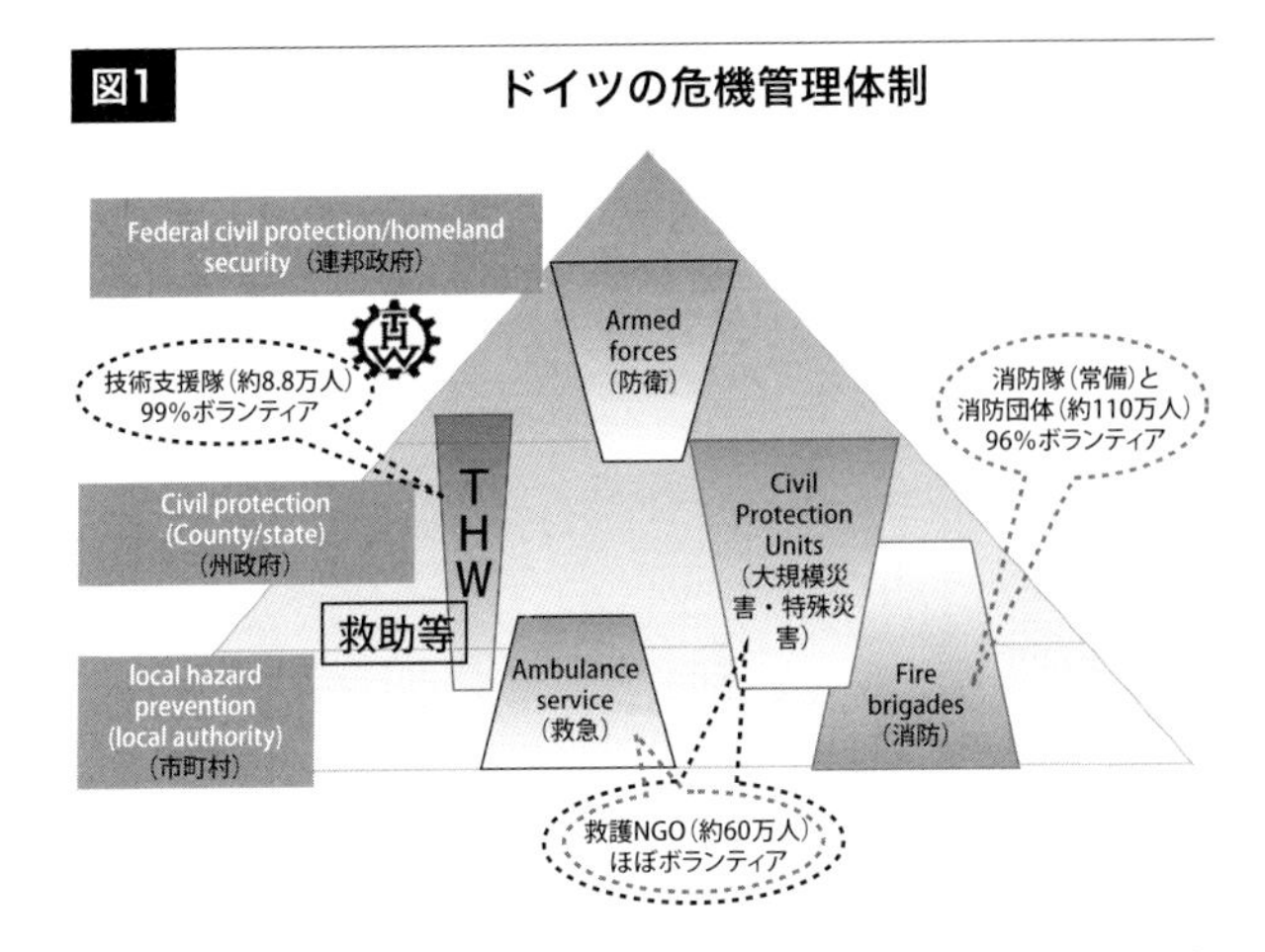

出典：BBK（連邦市民保護・災害支援局）におけるインタビュー調査時の配布資料（2015年8月17日）。永田研究室で訳および加筆を行い作成

防衛大学校先端学術推進機構グローバルセキュリティセンター、2018年）というものです。例えばEU諸国では、オールハザードアプローチを採用する国々が多く、これらの国々においては中央政府ではなく、災害対応を行う現場に大幅な資源配分を行っています。特に、特殊災害に対応するためには様々な専門性および、複数の基礎的自治体をまたいで対応可能な広域性から、中間的自治体に大幅な各種資源の集中がなされています。**図1**、**2**はドイツとイギリスの、国家的危機対応時の中央政府と地方政府の役割分担を見たものです。いずれも、国が中心になって対応する危機は武力攻撃災害のみで、後は地方政府、特に中間的自治体に任せられていることが分かります。

ドイツでは、戦前の国家主義への反省から、徹底した地方分権が戦後に行われた結果、特殊災害に関わる危機管理事案のほとんどは各州の内務省が所管しています。わが国では、内閣府が所管している原子力防災も、内務省の管轄です。**図1**を見ると分かるように、唯一、連邦内務省が管轄

図2　イギリスの危機管理体制

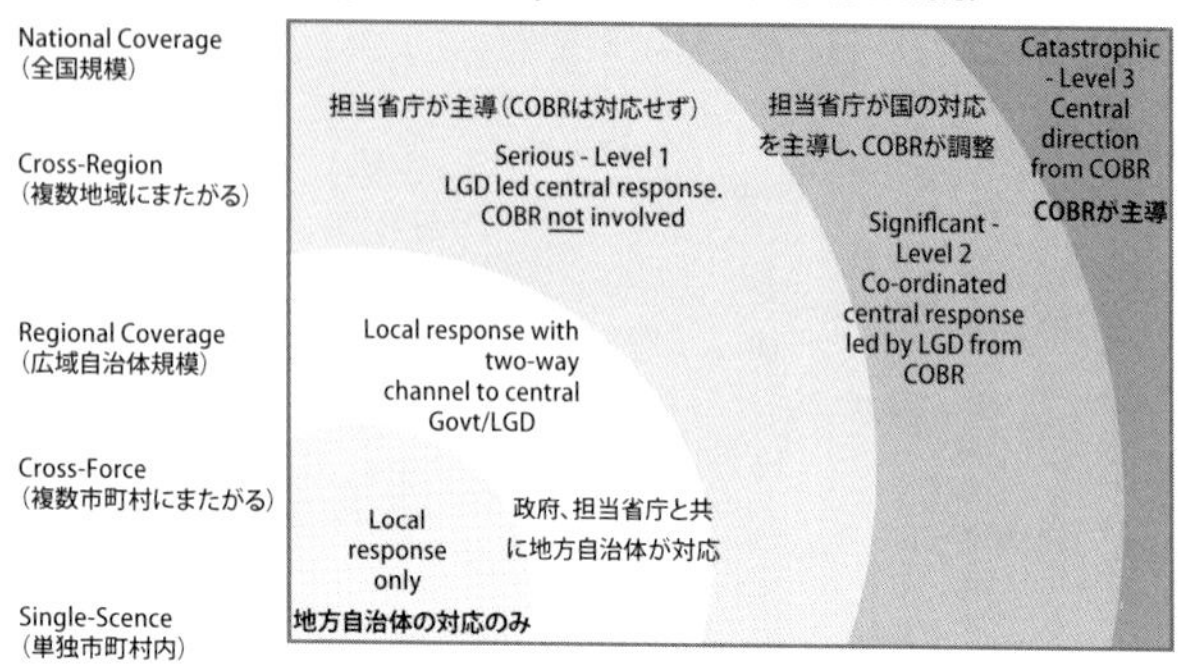

出典：COBR（内閣府ブリーフィング室）におけるインタビュー調査時の配布資料（2011年9月10日）。著者が訳および加筆を行い作成

するのは、武力攻撃災害時の対応（防衛および国民保護）のみです。今回のようなパンデミック、広域的自然災害や原子力災害への対応、大規模火災への対応は州内務省の管轄です。危機管理分野全般に関し、各州の内務省が、立法だけでなく政策立案を行っています。そして、警察も含む市民安全保障分野の実施、調整、管理を担当しています。

イギリスでは、内閣府のCCS（民間緊急事態事務局）が危機管理対応を行っています。職員数は、60人です。特殊災害ごとにLGD（主幹省庁）が定められており、安全保障に関わる事態を除いた、自然災害や原子力災害を含むあらゆる緊急事態において各機関の調整等の責任を持ちます。また、イギリスでは、危機段階は5段階に整理されています（**図2**）。特定地域に限定された日常的なレベルの危機対応は、地方自治体の責任とされています。ただ、地方自治体だけでなく、警察や消防、救急サービス等他の機関にも同様の責務が課されます。各地方の警察が緊急事態対応を取り仕切る場合が多く、また、地方政府がCCSの窓口となる場合が多いのですが、警察や地方政府は、その他の機関に対して明確な権限を持つわけではありません。さらに、広域的自治体の管轄区域内にとどまる災害にも、地方自治体がCCSおよびLGDと、連絡を取り合いながら対応します。そして、複数の広域的自治体にまたがる危機や、地方自治体では対応が困難な国家的対応が必要なレベル1の危機には、LGDが危機対応を主導します。それに次ぐより深刻なレベル2の危機の場合にも、LGDが対応しますが、COBR（内閣府ブリーフィング室）が立ち上がり、関係機関の調整を行います。またNSC（国家安全保障会議）のTHRC（脅威・危険・強靭性および緊急事態小委員会）において国家としての対応方針を検討します。NSCのTHRCは大臣級の委員会で、わが国では緊急災害対策本部や非常災害対策本部に類似する組織です。CCSが事務局を務めます（政府の危機管理組織の在り方に係る関係副大臣会合「政府の危機管理組織の在り方について（最終報告）」、2015年）。そして、最悪の危機であるレベル3になった場合には、NSCのTHRCが設置される流れは同様ですが、LGDではなく内閣府のCOBRが前面に出て対応することとなります。レベル3は、核攻撃等の武力攻撃災害を想定したものです。以上のように、COBRの出番は、レベル2以上の危機に限定されるので、日常的に職員を配置しているわけではありません。通常は数人の担当者しかおらず、緊急事態の状況によって30～40人ほどのスタッフを関係機関から招集するのみです。極めて、地方分権的・現場主義的な危機管理体制です。

なお、EU諸国におけるオールハザード型危機管理体制整備を主導しているドイツでは、BBK（連邦市民保護・災害支援局）が、州政府やその他の行政組織、企業、共助組織等と共に、毎回異なる特殊災害対応を想定し、ナショナルリスクアセスメントであるLÜKEX（リューケックス）訓練を、関係機関を大々的に動員し毎年実施しています。２００７年のテーマは感染症によるパンデミックへの対応で、極めて新型コロナの状況に近いシナリオで徹底的な検証が行われ、その教訓が今回のパンデミックの初動対応にも生かされたとドイツ国内では評価されています。また連邦レベルのみならず州レベルにも、危機管理専門の研究所、教育機関が整備され、各関係組織、構成員の特殊災害へ対応可能な専門性の高度化が図られています。

危機対応に実効性を持たせるためには、権限といった法的資源のみならず財政的資源および組織的資源や情報資源、政治的資源も必要です。これらの資源の総量を増やすためには、都道府県の広域再編や国からの抜本的な権限・財源移譲を今後検討する必要性があるように思われます。

期待される危機管理体制の強化と絡めた道州制議論

今後も、今回と同様の特殊災害は必ず起こります。それに混乱することなく迅速に対応するためには、これら国―都道府県間の各種資源の点在を整理し、本稿でみてきたようなコンフリクトが生じないようにする必要性があります。今後わが国でも、実効性のある危機管理体制の構築を検討する上で、危機管理体制における都道府県の保有する各種資源の強化を図っていく必要性があります。さらには、中間的自治体の広域再編や国からの様々な資源移譲等も検討していかねばならないように思われます。今後、危機管理体制の強化と絡めた道州制議論が必要です。また、想定外が生じるのは、全てのハザードを十分に想定していないからです。後追いから先取りに危機管理体制を転換する視点からも、オールハザード型の危機管理体制の検討もすべきです。ただその際には、オールハザードアプローチを導入している欧米諸国の多くでも、初動での感染封じ込めに何故失敗したかの検証が今後必要だと思います。

２０２０年８月、日本で人々はどう行動したか……………土田昭司

ポイント

- １割以上の人が8月に帰省・旅行をしていた。大都市圏の人は長距離移動への危機感が弱かった。
- ソーシャルメディアの投稿を読んだ人の約半数が自粛や衛生管理をしない人と感染者が非難されても仕方がないと思っていた。
- ソーシャルメディアに投稿した人の1割以上が自粛や衛生管理をしない人そして感染者を非難する投稿をしていた。
- 対人接触を制限する自粛生活による心理的ストレスが独善的行動や偏見を生み出していたようだ。

新型コロナウイルス感染症流行対策の副作用

２０１９年後半に中国から始まったと思われる新型コロナウイルス感染症流行は、日本ではまず豪華客船ダイヤモンド・プリンセス号の中で香港から乗船した人が発端となったと思われる船内集団感染が人々の関心を集めました。そして、この感染症が日本国内にも広がる恐れがあったため、感染症の専門家から公衆衛生としてのさま

ざまな感染症流行対策が提案されて世間に知れ渡ることとなりました。その対策は大きく3つに分類できます。1つは手洗いの徹底、消毒用アルコールの使用などによる除染と消毒です。2つはマスクやフェイスシールドの着用、アクリル板の設置などによる飛沫防止です。そして3つがいわゆる3密の回避、外出や移動の自粛、身体的接触の制限などの対人接触制限です。実際にこの感染症は日本国内にも広がりはじめ、2020年2月27日に安倍晋三首相（当時）が一斉休校を宣言し、政府が4月7日に7都府県に緊急事態宣言を出して、4月16日にこれを全国に拡大したことによって、これらの対策は政府や自治体から「自粛」というかたちで強く要請されることになりました。この時期がいわゆる新型コロナ感染症流行の第1波になります。ただし、日本ではこのとき、多くの諸外国において実施された法的処罰をもって行われるロックダウン（都市封鎖）ではなく、あくまでも行政からの「お願い」という体裁を採りました。

公衆衛生としての3つの感染症流行対策のうち、除染・消毒と飛沫防止は、たしかにフェイスシールドやアクリル板の使用はこれまでに一般的なものではありませんでしたが、マスクや手洗いなどは少なくとも日本人にとってはなじみ深いものであり、面倒だと思う人も多いとは思いますが、その実行にさほどの心理的抵抗があったとは思われません。その意味で日本人にとってはこの2つの感染症流行対策には心理的な副作用はあまり無いといえるでしょう。

ただし、多くの人たちが急に大量のマスクや消毒用アルコールを購入しようとしました。感染症流行の第1波では需要がそれまでの通常時における供給体制では対応できないほど急激に増大したために、商品が工場や倉庫にあっても商店への輸送が間に合わない、輸入が間に合わないなど、結果的にほとんどの商店の商品棚から長期にわたってマスクや消毒用アルコールなどが消えるという商業的副作用が生じました。しかし、感染症流行の第2波と第3波ではこの商業的副作用は発生していません。生じさせないように対応することができる副作用といえます。

これに対して、3つ目の感染症流行対策である対人接触制限は大きな心理的副作用と深刻な経済的副作用を伴っています。学校に行けないこと、職場に行けないことは心理的ストレスのもととなり得ることです。主婦・主夫にとっては学校が休校になったり配偶者の在宅勤務が増えたことにより子供の世話を含めた家事労働が増えました。これが心理的ストレスや疲労をもたらすと考えられます。友達に会えないなど家族以外の人と接触できないこと、繁華街にショッピングなど遊びに行けないこと、外食や酒場での対人的交流ができないこと、カラオケやパチンコに行かないよう自粛を求められること、コンサートやスポーツなどのイベントが中止になること、外国や遠距離の旅行はもちろんのこと、都道府県境をまたぐ移動をしないように自粛を求められること、など、さまざまな心理的ストレスのもととなりうる自粛が求められました。対人接触制限という感染症流行対策には大きな心理的副作用があるといえます。

ただし、これに対応して、インターネットを活用してズーム(zoom)などオンラインでいわゆるテレビ電話・テレビ会議ができる対人接触ツールがまたたくまに全世界に普及しました。オンラインでのコンサートなどのイベントの提供も多くなってきました。これが新しい生活様式、いわゆるニュー・ノーマル(new normal・新常態)として定着する可能性は高いと思われますが、これによって心理的ストレスがどれほど軽減するのかあるいは解消するかどうかはまだはっきりとは分かりません。

対人接触制限という感染症流行対策は、経済において深刻な副作用をもたらしています。たしかに、デジタル化により印鑑主義の廃止など業務の効率化がより進むこと、業種によっては「巣ごもり需要」により業績が伸びていること、不要・不急な出社を求められなくなったこと、通勤・通学ラッシュが軽減されたことなど、経済や生活にとって良い面があることは事実です。しかしながら、外食業や観光・旅行・運輸業においては需要が激減しています。そのため、アルバイトなどの臨時雇用・非正規雇用を中心に雇用も激減しています。たとえば、大学生がアルバイト先がなくなったために収入がなくなり大学をやめなければならないといった例が報道されています。

政府や自治体は、補助金を支給したり、Ｇｏ　Ｔｏ　トラベル、Ｇｏ　Ｔｏ　イートなどの対策を講じていますが、感染症流行対策の本来の目的と経済的副作用の低減を両立させることに苦慮しています。

心理的ストレスがもたらす「独善的行動」「非難」「偏見」

心理的ストレスは、意識的にせよ無意識的にせよ人間にとってとても不快なものです。人間は不快感から逃れるためにはかなり理不尽なことをすること、また、その理不尽なことをしたことを（ほとんどは無意識的に）自己正当化してしまうものであることを、社会心理学では１９５０年代以降膨大な数の研究で証明を積み重ねてきています。

新型コロナ感染症流行がもたらした心理的ストレスは、日本の場合、「自分がストレスに感じている感染症流行対策は他の人も同じようにやってくれなければ気持ちが収まらない」「感染症流行対策は皆がちゃんと実行しなければ効果がない。皆が我慢してやっているのにやらない人は悪い人だ」と思う気持ちが他の国々の人たちと比べても強いように思われます。実際、日本では新型コロナ感染症流行対策としてマスクをするのは衛生管理のためより

図1　2020年に新型コロナウイルス感染症により入院治療等を要した人数の推移

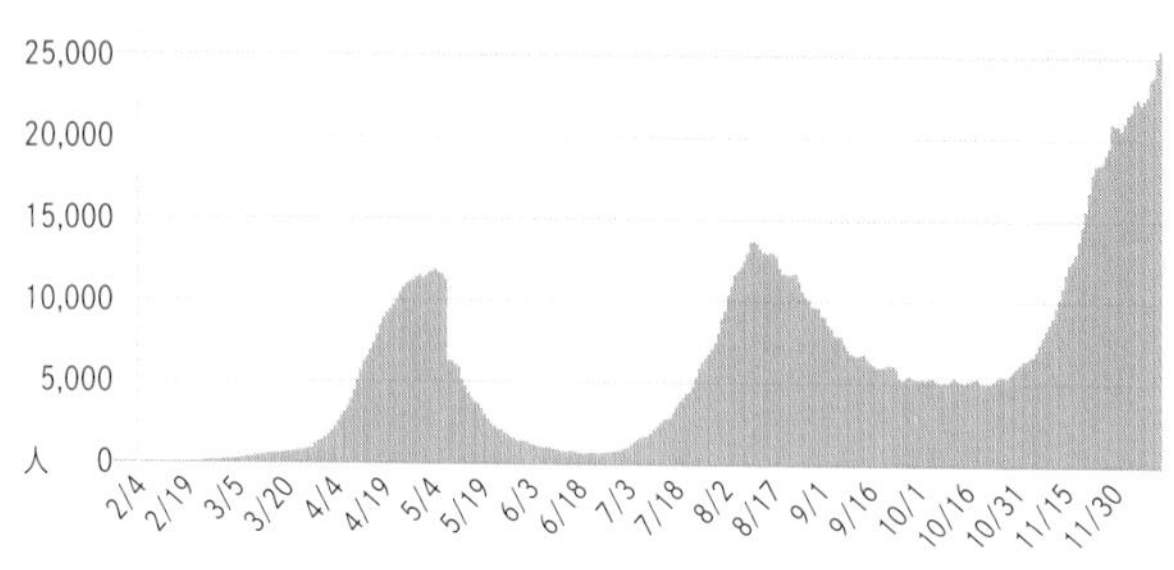

出典：厚生労働省

も、他の人たちがマスクをしているから自分もしなければならないと考えているからということを実証した研究もあります。

新型コロナ感染症流行対策として衛生管理や自粛をしなければならないことから生じている心理的ストレスの故に、衛生管理や自粛を他の人たちにも強要しようとする独善的行動、衛生管理や自粛をしない人を非難する行動、そして、新型コロナウイルスに感染してしまった人を穢れた人・悪い人と思ってしまう偏見が、私たちの心の中に発生してはいないでしょうか。

2020年8月における人々の心理と行動調査

２０２０年８月は、図1に示すように、実際には新型コロナ感染症流行の第２波の時期にあたりますが、政府から出されていた緊急事態宣言が５月に解除されて、７月半ば頃まで新規陽性者数なども低い水準にとどまっていたことから、感染症流行対策にもある程度の気の緩みが出ていたようにも思われます。また、例年であれば８月はお盆などにあわせて帰省したり夏祭りを楽しむ時期でもあります。

そこで、2020年8月に実際に人々は新型コロナ感染症流行対策として帰省や旅行などを中心にどのような自粛をしていたのか、また、感染症流行対策によってどの程度の心理的ストレスを感じていたのか、さらには、感染症流行対策に関わって独善的行動、非難、偏見などがどの程度みられたのか、などを調べることを目的として私たちは研究プロジェクトを企画しました。私たちの研究プロジェクトは、2020年度関西大学教育研究緊急支援経費を元に、オンラインによるアンケートを実施しました。以下では、この調査(土田・元吉・近藤・静間・浦山・小村「2020年8月における新型コロナウイルス感染症流行への人々の反応」日本リスク学会第33回大会，2020年11月)について報告します。

この調査では、大都市圏として大阪府(1500人)と東京都(1500人)にお住まいの人と、地方圏として中国・四国9県(1500人)と東北6県(1500人)にお住まいの人合計6000人に回答していただきました。それぞれの地域で20歳から69歳までの男女を総務省による2019年10月1日現在の人口推定に合わせて回答者を割り当てることにより、実際の人口構成にのっとった回答者の人口構成になるようにしました。

調査は、楽天インサイト株式会社に委託してオンラインにより2020年8月27日午後6時33分から同年8月29日午前7時37分までの間に実施しました。

感染への人々の不安感と自粛の有効性の評価

それでは、この調査の結果から、まず新型コロナ感染症流行に対して人々がどれほど不安感を覚えていたのかを

表1 2020年8月における新型コロナウイルス感染症流行に対する人々の不安感と自粛の有効性の評価

	大阪府	東京都		中国・四国	東北
自分が感染するのではないかと不安だ	3.80	3.80	>	3.64	3.67
自分の同居家族が感染するのではないかと不安だ	3.97	3.93	>	3.76	3.78
外出を自粛することで自分は安全だ	3.63	3.68	>	3.53	3.57
外出自粛をわずらわしく感じている	3.35	3.41	>	3.28	3.16
他の都道府県に行かないことで自分は安全だ	3.33	3.31	<	3.56	3.65

出典：土田他(2020)の調査　　3.0＝どちらともいえない

見てみましょう。それぞれの質問に対して「とてもそう感じる」「どちらかといえばそう感じる」「どちらともいえない」「どちらかといえばそうは感じない」「まったくそうは感じない」の5択で答えてもらっています。**表1**に示したのはそれぞれの質問への回答の平均値です。

「自分が感染するのではないかと不安だ」「自分の同居家族が感染するのではないかと不安だ」へは、4地域ともに「どちらともいえない」よりは高い不安感を示していました。基本的に潜在的な不安感が人々の間に持たれていたといえるでしょう。さらに、この不安感は大阪府と東京都の大都市圏の方が、中国・四国と東北の地方圏よりも高いことが統計的に明らかになりました。

自粛のなかで外出の自粛の有効性を人々がどれほど評価していたかを見てみましょう。「外出を自粛することで自分は感染から身を守る行動が出来ていると感じる」との質問への回答の平均値では「どちらともいえない」よりは高い有効性があると人々が評価していたことが示されました。これも大都市圏の人々の方が地方圏の人々よりも高く評価していました。外出を自粛しなければならないとの思いが大都市圏の人々で高かったためか、「外出自粛をわずらわしく感じている」との質問には大都市圏の人々の方がよりそうだと答えていました。

これに対して、「他の都道府県に行かないことで自分は感染から身を守る行動が

表2　2020年8月において帰省・旅行をした人の割合

	大阪府	東京都	中国・四国	東北
8月中に帰省した	13.7%	10.9%	14.1%	15.3%
8月中に旅行した	14.4%	12.5%	8.8%	10.9%

出典：土田他(2020)の調査

できている」と感じる」との質問では、全体的にはこれも「どちらともいえない」よりは高い有効性があると評価されていましたが、外出自粛とは逆に大都市圏の人々の方が地方圏の人々よりも有効性が低いと評価していました。長距離の移動を自粛することの感染症流行防止効果を大都市圏の人々は相対的にあまり高くは評価していなかったようです。

2020年8月中の帰省と旅行

新型コロナ感染症流行がなければ、8月は例年お盆の長期休暇を利用して多くの人たちが実家や親戚に帰省したり、バカンスの旅行に出かける季節です。しかし、2020年は新型コロナ感染症流行対策として帰省や旅行は自粛してほしいと呼びかけられました。それでもいくらかの人たちは帰省や旅行をしたように報道されています。それでは、どれほどの人が帰省や旅行をしたのでしょうか。

2020年8月中に帰省をした人は、大阪府で13・7%、東京都で10・9%、中国・四国で14・1%、東北で15・3%でした(**表2**)。10人に1人以上の人たちが帰省をしていたということです。その帰省先はどの辺りだったのでしょうか。中国・四国と東北の地方圏の人々は、ほとんどが帰省先として同じ地域内に行っていました。中国・四国の人々の帰省先の91・0%は中国・四国でした。東北の人々の帰省先の86・9%は東北でした。と

表3　2020年8月において帰省した人の帰省先

帰省先	大阪府	東京都	中国・四国	東北
北海道	1.0%	**3.7%**	0.0%	1.3%
東北	0.0%	**8.6%**	0.5%	86.9%
関東	4.9%	**49.7%**	0.5%	5.7%
関西	**75.6%**	**8.0%**	3.3%	0.9%
中国・四国	**9.3%**	**3.7%**	91.0%	0.4%
沖縄	0.0%	0.6%	0.0%	0.4%
その他	**9.2%**	**25.7%**	4.8%	4.4%

出典：土田他(2020)の調査　※四捨五入などの数値の合計が100にならない場合がある

ころが、大都市圏の人々では遠距離に帰省する傾向が見られました。大阪府で帰省をした人の4分の3（75・6％）は確かに帰省先として地元の関西に行っていましたが、帰省先として中国・四国に行った人が9.3％、帰省先として関東に行った人が4.9％いました。この傾向は東京都の人々においてさらに強く現れていました。東京都で帰省した人で地元の関東に帰省した人は半分にとどきませんでした（49・7％）。東京都の人々で帰省した人の帰省先の8.6％は東北、8.0％は関西、3.7％は北海道、3.7％は中国・四国でした（**表3**）。大都市圏には多くの地方出身者がいます。特に東京は日本全国の地方出身者によって成り立っているとさえいうことができるでしょう。そのため、特に東京において帰省した人の帰省先が遠距離となったのはある意味で当然ともいえます。また、先に見たように、大都市圏の人々は都道府県境をまたぐ移動にあまり高い感染症流行対策効果を認めていませんでした。このことも大都市圏に遠距離の帰省した人たちが比較的に多かったことに影響していたかもしれません。

旅行でも同様の傾向が見られました。２０２０年8月に旅行をした人は、大阪府で14・4％、東京都で12・5％、中国・四国で8.8％、東北で10・9％でした（**表2**）。実際に旅行に行った人に対して、旅行に行った、あるいは、旅行

表4　2020年8月において旅行した人の旅行先と旅行希望先

旅行先［希望も含む］	大阪府	東京都	中国・四国	東北
北海道	4.2%	**7.4%**	4.5%	4.9%
東北	3.2%	4.8%	2.3%	**83.5%**
関東	7.4%	**60.1%**	6.1%	**12.8%**
関西	**50.5%**	**4.8%**	**9.1%**	0.6%
中国・四国	**16.2%**	2.1%	**66.7%**	1.2%
沖縄	4.2%	**9.6%**	2.3%	1.2%
その他	27.3%	32.4%	15.9%	6.1%

出典：土田他(2020)の調査　※複数回答

に行きたいと思っていた旅行先をいくつでも挙げてもらったところ、大都市圏のなかで、東京の人々の大半(60・1％)が地元の関東を旅行先・旅行希望先に挙げていましたが、沖縄を挙げた人が9.6％、北海道を挙げた人が7.4％いました。大阪の人々では、地元の関西を挙げた人が50・5％で、16・2％の人が中国・四国を、7.4％の人が関東を挙げました。地方圏の人々では、中国・四国の人々は、地元の中国・四国を旅行先・旅行希望先に挙げた人が66・7％と多かったものの、関西を挙げた人が9.1％、関東を挙げた人が6.1％と大阪府の人たちに近い傾向が見られました。これに対して、東北の人々では、地元の東北を旅行先・旅行希望先に挙げた人がほとんど(83・5％)で、隣接する関東を12・8％の人が、北海道を4.9％の人が挙げた他は旅行先・旅行希望先としてほとんど挙がりませんでした。東北では、新型コロナ感染症流行対策として居住地域から外に出ない対策が有効であるとの認識が比較的に強かったのではないかと推測されます(表4)。

感染者への認識とソーシャルメディアにおける非難行動と偏見

新型コロナ感染症流行の第1波である2020年4月の頃には、都市部

表5　**新型コロナウイルス感染者に対する認識**

	大阪府	東京都	中国・四国	東北	**全体**
新型コロナウイルスに感染した人は手洗いやマスクなどの自分の衛生管理ができていなかった人だ	2.75	2.77	2.70	2.77	**2.75**
新型コロナウイルスに感染した人は「夜の街」や「ライブハウス」「パチンコ」「カラオケ」などの危険なところにいった人が大部分だ	3.24	3.17	3.23	3.23	**3.22**

出典：土田他(2020)の調査　　3.0＝どちらともいえない

にある大学の親睦会で新型コロナに感染して地方の実家に帰省して帰省先でクラスター（感染者集団）を発生させた大学生、長距離を移動した感染者などがソーシャルメディアなどで激しく非難されることがあったと報道されています。それでは、第2波である2020年8月ではどうだったのでしょうか。

まず、新型コロナ感染者に対する人々の認識がどのようであったのかを見てみましょう。「新型コロナウイルスに感染した人は手洗いやマスクなどの自分の衛生管理ができていなかった人だと思う」との質問に「とてもそう思う」から「まったくそうは思わない」までの5択で回答を求めたところ、平均値でそうは思わないに寄った結果でした。これに対して、新型コロナウイルスに感染した人は「夜の街」や「ライブハウス」「パチンコ」「カラオケ」などの危険なところにいった人が大部分だ、との質問には、平均値でそう思うに寄った結果でした。この2つの質問の結果に地域差はありませんでした。このことは、新型コロナ感染者は衛生管理が悪かったから感染したというよりも、「夜の街」などの危険なところに自ら行ったから感染したのだとみられていたことを示しています。別の言い方をすれば、衛生管理の不備よりも対人接触制限の自粛をしない人が新型コロナに感染するのだとの認識が人々にあったと思われるのです**（表5）**。

フェイスブック、ライン、ツイッター、インスタグラムなどのソーシャルメディアで

表6　2020年8月におけるソーシャルメディア（SNS）行動

2020年8月中に	大阪府	東京都	中国・四国	東北	全体
SNSの投稿を読んだ	77.9%	78.0%	71.2%	72.0%	**74.8%**
SNSの投稿を他の人に広げた	29.5%	28.9%	23.3%	23.9%	**26.4%**
SNSの投稿で発信した	38.1%	39.1%	30.8%	30.3%	**34.6%**

表7　ソーシャルメディア（SNS）で非難されても仕方がないと思う対象

このような人がSNSで非難されても仕方がない	大阪府	東京都	中国・四国	東北	全体
マスクをしない人	52.4%	51.0%	46.9%	50.1%	**50.2%**
不用意に町を出歩く人	54.4%	52.1%	47.2%	51.2%	**51.3%**
遠くに旅行に行く人	55.9%	54.5%	51.8%	57.2%	**54.9%**
新型コロナウイルス感染者	43.9%	42.0%	43.4%	46.1%	**43.8%**
自粛しないで営業する店	51.5%	47.4%	47.2%	50.0%	**49.0%**

出典：土田他(2020)の調査

の人々の行動ではどうだったでしょうか。2020年8月に調査回答者の4分の3（74・8％）はソーシャルメディアの投稿を読んでいました。ソーシャルメディアの投稿を読んでいるのは大都市圏の人々の方が地方圏の人々よりも多い傾向がありました（**表6**）。そして、ソーシャルメディアの投稿を読んだ人の中で約半数の人々が、衛生管理や自粛をしない人が非難されている投稿を読んで非難されても仕方がないと思っていたのです。具体的には、「マスクをしていない人（50・2％）」「不用意に町を出歩く人（51・3％）」「遠くに旅行に行く人（54・9％）」「自粛をしないで営業する店（49・0％）」が非難されてる投稿を読んで非難されても仕方がないと思っていました。さらに、43・8％の人が新型コロナ感染者を非難する投稿を読んで非難されても仕方がないと思ったと回答しました（**表7**）。

ソーシャルメディアには調査回答者の3分の1（34・6％）が2020年8月に自分から投稿を書き込んでいました。そのなかで1割以上の人々が衛生管理や自粛をしない人を非難する投稿をしていました。具体的には「マスクをしていない人（12・

表8　ソーシャルメディア（SNS）で非難した対象

このような人をSNSで非難した	大阪府	東京都	中国・四国	東北	全体
マスクをしない人	13.3%	14.1%	10.8%	11.5%	**12.6%**
不用意に町を出歩く人	14.2%	14.1%	12.3%	12.1%	**13.3%**
遠くに旅行に行く人	13.3%	14.8%	12.8%	13.4%	**13.6%**
新型コロナウイルス感染者	12.4%	12.3%	11.3%	11.0%	**11.8%**
自粛しないで営業する店	12.3%	13.3%	12.6%	11.9%	**12.5%**

出典：土田他(2020)の調査

6％）」「不用意に町を出歩く人（13・3％）」「遠くに旅行に行く人（13・6％）」「自粛をしないで営業する店（12・5％）」を非難する投稿をしたと回答しました。さらに、11・8％の人が新型コロナ感染者を非難する投稿をしたと回答しました（**表8**）。

２０２０年8月にソーシャルメディアの投稿を読んだ人の半数が新型コロナ感染症流行対策の衛生管理や自粛をしない人が非難されても仕方がないと思ったことは独善的行動の下地がかなりあったことの表れでしょう。さらに、同じく半数近くの人たちが感染者そのものが非難されても仕方がないと感じていました。感染者に対する偏見の下地もかなりあったと思われます。

加えて、２０２０年8月にソーシャルメディアに投稿した人の1割以上の人たちが新型コロナ感染症流行対策の衛生管理や自粛をしない人が非難する投稿を実際にしていたこと、そして、感染者そのものを非難する投稿をしたと回答した人も1割以上いたことは、決して小さな数字ではないと思います。自分から非難をする投稿を書くことは独善的行動や偏見の下地ではなく、独善的行動・偏見そのものだからです。

新型コロナ感染症流行対策として、除染・消毒、飛沫防止などの衛生管理と、いわゆる3密を避けて外出などを控える対人接触制限は行わなければならないことです。しかし、これらの対策のうち特に対人接触を制限する対策には経済的副作用と心理的副作用が伴っています。経済的副作用は特に深刻ですので政府や自治体はさまざまな対応を試みています。また、経済的副作用は個人のレベルでは対応しきれるものではありませんので、政府や自治体による効果的な対応を頼まなければなりません。

これに対して、心理的副作用には個人のレベルで対応できることが多くあります。窮屈な自粛生活にはコロナ禍前には当たり前にできていた楽しみがありません。我慢しなければならないことも多く、心理的ストレスがたまってきていることでしょう。しかし、そのために独善的行動をとったり感染者や医療従事者に偏見をもってはいけないでしょう。まずは、自らを省みて自分が独善的な考え方や偏見を持っていないか自覚してみましょう。独善や偏見は知らず知らずのうちに無意識に持ってしまうものです。意識して自分に独善的な考え方や偏見がないか自分で点検してみることでこれらにとらわれることがなくなります。もちろん、心理的ストレスそのものを発散させるような工夫をすることも大事です。

第4章

「感染予測」を武器にする

関西大学システム理工学部　教授

和田隆宏（わだ・たかひろ）

1958年大阪府生まれ。京都大学大学院理学研究科博士後期課程修了。理学博士（京都大学）。理論物理学者。専門は原子核理論。2016年に命名された103番元素ニホニウムなど超重元素と呼ばれる原子核の生成メカニズムを研究している。数理モデルを用いて、低線量率放射線の生体への影響についても研究しており、日本学術振興会第195委員会「放射線の利用と生体影響」副委員長を務める。

関西大学商学部　教授

矢田勝俊（やだ・かつとし）

1969年福井県生まれ。神戸商科大学大学院経営学研究科博士後期課程修了。博士（経営学）。大学院時代、阪神淡路大震災をきっかけに情報化の現場経験を積み、データマイニングのビジネス応用の研究に取り組む。計算機科学、意思決定科学、マーケティング等、多様な分野のトップジャーナルに論文を発表しており、データサイエンスに関する研究・教育で多くのプロジェクトに従事している。

数理モデルで新型コロナウイルスを探ってみた……………………和田隆宏

ポイント

- 数理モデルは、ウイルスの増殖や感染の広がりのしくみを科学的に理解するための強力なツールである。
- 多くの国民がワクチンを接種することで、集団免疫によって新型コロナを克服することが可能となる。
- 新型コロナを機会として、科学者と社会との関わりを深化すべきである。

数理モデルってどんなもの

皆さんは、ウイルスや感染症を数理モデル、つまり数学で扱うというと、それで何の役に立つのかと思われるかもしれません。ウイルスが数学に従って活動するわけではありませんが、ウイルスの増殖や感染には一定のしくみがあって、そのしくみを数学で捉えることで、感染の広がりを予想したり、ウイルスの性質を探り出したりしようというのが数理モデルの役割です。新型コロナウイルスでは、西浦博先生(京都大学教授)がマスコミに取り上げられたりしたので、印象に残っている人も多いのではないでしょうか。この章では、数理モデルという考え方について説明し、新型コロナウイルスの二つの側面、①人体の中でのウイルスの増殖と②ヒトとヒトの間でのウイルスの伝播に数理モデルを適用して、新型コロナウイルスの正体について探ってみます。

数理モデルとはどういうもので、どういう利点があるのでしょうか。ここで「モデル」という言葉は、「対象となる複雑な現象を簡略化して、その本質を表したもの」という意味で用いています。数理モデルは、数学によって構成されたモデルです。数学を用いるため、結果は数値として明確に表されます。モデルが正しいかどうかは、モデルから得られる解が、現実の現象をどれくらいうまく説明できるかで評価されることになります。モデルが簡明で、広い現象を説明できるのがよいモデルの条件と言えます。数理モデルでは、現象を抽象化して数学に当てはめることから、異なる分野の一見全く異なる現象が同じモデルで説明できることがしばしば生じます。筆者が数理モデルに魅力を感じるのはこういうところにあります。

指数関数的増加とは?

新型コロナの感染者が増え始めたころ、感染者が「指数関数的」に増加していると言われていたのを覚えているでしょうか。実は、指数関数的な増加というのは、自然界ではよく現れる現象です。温度が適当で、栄養分が十分にあるとき、大腸菌は約20分に1回細胞分裂して数が2倍になります。また、餌が十分にあるとき、ハツカネズミの雌雄のペアは約2カ月に1回出産し、平均6匹の子供を産んで、合わせて元の4倍になります。このようなとき、細菌やネズミは指数関数的に増加すると言います。指数関数的に増加するとき、ネズミの数が2カ月後にどれだけ増えるか(時間当たりの増加率)はその日のネズミの数に比例します。以下の式は、数式が苦手な方は、読み飛ばしてもらって構いませんが、数理モデルの基本を知る上で大切なのであえて書いてみます。時刻tにおけるネズミの数をNとするとき、その増加率をdN/dtと表し、Nのtによる微分と言います。ネズミの数の増加率がそのときのネズミの数に比例するという関係を数式で表すと

$$\frac{dN}{dt}=kN \quad (1)$$

となります。この微分方程式の解は$N=N_0 e^{kt}$となり、tの指数関数として表されます。ここで、N_0は最初のネズミの数で、eは自然対数の底と呼ばれる無理数です。この式は、$N=N_0 2^{t/T_0}$と書き換えることができます。新しい式は、T_0だけ時間が経つとNが2倍になることを示していて、T_0とkの間には、$T_0=0.693147/k$ という関係があります。つまりkが大きいほどT_0は小さく、Nは速く増加します。2倍になる時間が一定というのが指数関数的増加の特徴です。

これまでkが正の場合を見てきましたが、式(1)でkが0、つまり増加率が0だとNは増えも減りもしません。さらにkが負の場合は、減少することになります。つまり、kの正負が、増加か減少を決めることになります。これは、あとの話で出てくるので覚えておいてください。

体内でのウイルスの増殖＝ウイルスダイナミクス

以前は、風邪で医者にかかると抗生物質をよく処方されましたが、今は原則として、風邪には抗生物質は処方されなくなりました。そもそも、風邪はウイルスによって引き起こされる病気で、抗生物質は細菌には効果がありますが、

ウイルスには効果はないのです。これは、細菌とウイルスが全く異なるからです。細菌は、細胞からできており、細胞分裂によって増殖します。これに対してウイルスは細胞を持っていません。ウイルスは、他の生物の細胞に入り込み、細胞を乗っ取って自分のコピーを作らせます。ウイルスは、自分のコピーを作るのに必要な設計図つまり遺伝物質を外界から身を守るためのカプセルの中に収納しただけの簡単な構造です。抗生物質は、細菌の細胞に作用して細菌の増殖を抑えるのですが、攻撃すべき細胞を持たないウイルスには効かないのです。新型コロナウイルスは、人体に感染すると上気道と呼ばれる鼻・口・気管などの細胞に入り込み増殖します。この段階でウイルスを抑えられないと、ウイルスは下気道まで侵入して肺炎を起こします。この肺炎には特効薬がないので、自力で回復するのを待つしかありません。新型コロナウイルスの治療が長期に及ぶのはこのためです。

ここで、ウイルスが人間の体内でどのように増殖するか、整理してみます。①ウイルスが体内に入って一つの細胞に取りつく②細胞に入り込み、ウイルスの遺伝物質を元に多くのコピーを作らせる③コピーされたウイルスが細胞外に放出される④放出されたウイルスが別の健康な細胞に取りつく、という段階に分けて考えられます。①―④を繰り返すことでウイルスは体内でどんどん増殖します。これが、ウイルス増殖の第一のしくみです。このとき初期のウイルスの増加は指数関数的なものになります。入り込むべき健康な細胞数が十分でなくなるとウイルスの増加は鈍化し、健康な細胞が非常に少なくなればウイルスは減少します。細菌に抗生物質が効くように、ウイルスに効く薬剤を抗ウイルス薬と呼びます。抗ウイルス薬は、①―③のいずれかの過程を妨げることでウイルスの増殖を抑えます。例えばインフルエンザの薬として知られているタミフルは、③のウイルス粒子の細胞からの放出を妨げる薬です。

さて、①―④の過程を数式で表してみましょう。ウイルスは100％細胞に侵入できるわけではないことを考慮すると、ウイルスが単位時間に細胞に感染する数は、その時点でのウイルスの数と感染対象となる健康な細胞の数、そしてウイルスが細胞に侵入する割合（感染率）の積となるでしょう。細胞を健康な細胞と感染した細胞に分けて、健康な細胞数をT（ウイルスの標的となるのでtargetの意味）、感染した細胞数をI（感染しているのでinfectedの意味）、ウイルスの数をV（ウイルスvirusの意味）とすると、感染率をβとしてTは単位時間にβTVだけ減少するので

$$\frac{dT}{dt}=-\beta TV$$

となります。Iは逆に単位時間にβTVだけ増えます。感染した細胞は、ウイルスに乗っ取られウイルス製造工場として使われて、やがて死んでしまいます。感染細胞がその数Iに対して一定の比率δで死んでいくとすると、Iの変化は、感染による増加と合わせて

$$\frac{dI}{dt}=\beta TV-\delta I$$

となります。一方、ウイルスは感染した細胞の中で一定の速さpで作られて、細胞外に出てくるので、その増加率は工場となる感染細胞数Iに比例します。また、ウイルスは免疫などの働きによって取り除かれ、ウイルスの数Vに対して一定の比率cで減少します。これをまとめて表すと

$$\frac{dV}{dt}=pI-cV$$

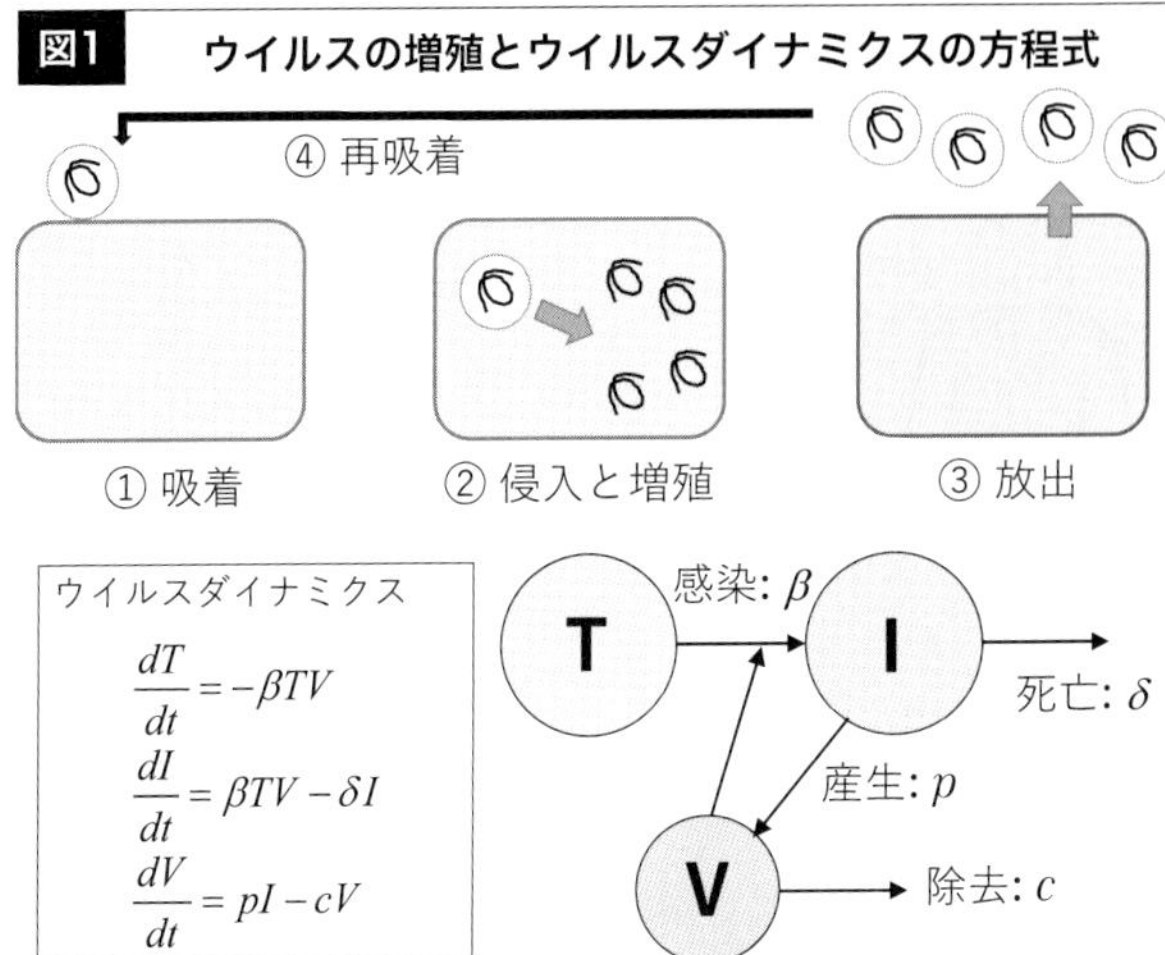

筆者作成

となります。この3つが、ウイルスダイナミクスの基礎方程式です。**図1**にウイルスの増殖を模式的に描いたイラストと共に式をまとめておきます。「ウイルス感染と常微分方程式」(岩見真吾ほか著、共立出版)には、ウイルスの感染や治療に関する数理モデルについて詳しく書かれています。この本では、ボランティアによるA型インフルエンザ感染実験について紹介されています。これは、ボランティアの鼻腔にインフルエンザウイルスを感染させて、その後の鼻腔内のウイルス量の変化を毎日測定したものです。その結果、ウイルス量は3日ほどで元の10万倍以上に増えること、治療しなくても1週間程度でウイルスがほぼいなくなることが分かりました。前述した方程式を使って、この実験データをよく再現するようにパラメータの値を求めたところ、$1/c = 0.29$日$= 7.1$時間という値が得られました。$1/c$は産生されたウイルスが除去されるまでの平均の時間に相当します。つまり、ウイルスは体内でどんどん増えると同時に7時間ほどでどんどん取り除かれていくという極めてダイナミカルな様相を示します。このような研究から、体内でのウイルスの増殖サイクルがわかり、タミフルなどの抗ウイルス薬を使うべき時期を理論的に示すことができます。

現状では、新型コロナウイルスに対してこのような実験は行えません。治療時のデータを基に、同じような数理モデルによる解析が始められていますが、いつ感染したかが特定できないため、十分なデータを得るには至っていません。

集団内でのウイルスの伝播

ウイルスが増殖するにつれて健康な細胞は次々と感染して、そのままではウイルスが入り込む先の細胞が減っていく一方になります。新型コロナウイルスの場合、細胞から放出されたウイルスは、気道の粘液や唾液に交じって、くしゃみや咳、さらには通常の呼吸のときに体外に出ていきます。大半のウイルスは、そのまま壊れてしまいますが、運よく別の人体に入り込むと新天地を得て増殖を始めることができます。こうしてウイルスはヒトからヒトへ伝染し、集団内に広がっていきます。これが、ウイルス増殖の第二のしくみです。**図2**に、第一と第二のしくみの関係をまとめました。

ウイルスがその数を増やすためには、第一と第二の増殖がうまく

図2 ウイルス増殖の二つのしくみ

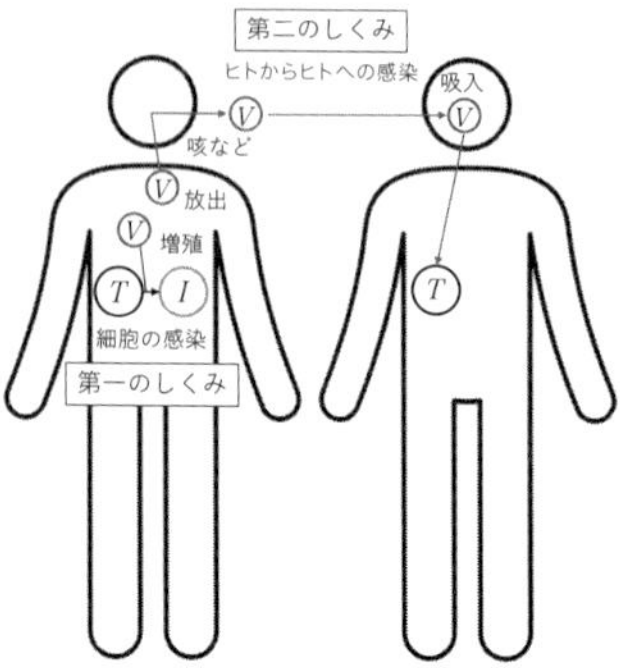

筆者作成

図3　**SIR方程式**

SIR方程式

$$\frac{dS}{dt}=-\beta SI$$

$$\frac{dI}{dt}=\beta SI-\gamma I$$

$$\frac{dR}{dt}=\gamma I$$

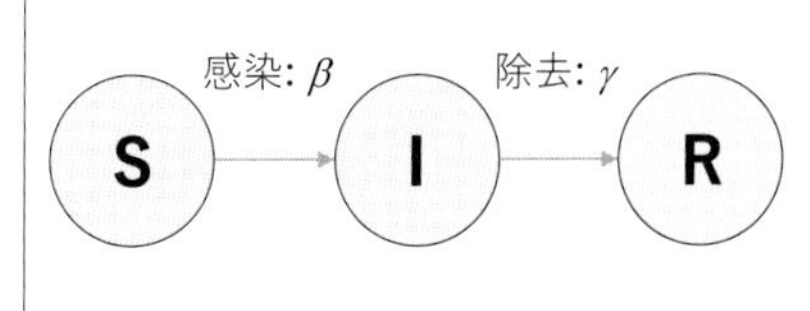

筆者作成

結びつく必要があります。第一の体内での増殖が弱すぎると、免疫などの防御機構にやっつけられてしまいます。かといって、増殖力が強すぎると感染した人が動けなくなってしまって、他の人にうつすことができませんから、やはりウイルスとしては失敗です。新型コロナウイルスによく似たウイルスにＳＡＲＳウイルスがあります。ＳＡＲＳとは重症急性呼吸器症候群で２００２年に中国で発生し、９カ月間に８０００例を超える発症がありましたが、急速に消えていきました。これは、ＳＡＲＳにかかった人のほとんどが重症化したことが原因と考えられています。これに対して、新型コロナウイルスでは、感染者はすぐには重症化せず、症状がない状態でもすでに他の人にうつす感染力を持っているといわれており、第二の増殖に適応したウイルスです。ウイルスとしては、非常に巧妙なものと言えるでしょう。

さて、集団内での感染の過程を、先ほどと同様に整理すると、①ウイルスが人体に侵入し感染する②ウイルスが体内で増殖し、咳などの際に体外に放出され、別の人体に侵入する③ウイルスに感染した人は、免疫などの力によりやがて回復する、という段階が考えられます。この過程を式で表したものがいわゆるＳＩＲモデルです。人口を未感染者Ｓ、感染者I、回復者Rに分けて、感染によってSからIへ、回復によってIからRへ変化し、回復した者は同じ病気にならないとして扱うものです。この場合も、感染者数は指数関数的に増大します。**図３**にＳＩＲモデルの式をまとめてあります。

感染は未感染者と感染者が出会うことで生じるので、感染者の増加がSとIと感染率βの積で与えられるなど、式の形が先ほどのウイルスダイナミクスの場合とよく似ていることに注意してください。ＳＩＲモデルについては、「人口と感染症の数理」（ミンモ・イアネリ著、稲葉寿ほか訳、東京大学出版会）や「感染症の数理モデル」（稲葉寿編著、培風館）に詳しく述べられています。

標準的なＳＩＲモデルでは、感染率βは人口密度や住民の感染に対する意識の度合い（手洗いの励行やマスクの着用など）や生活習慣（キスや抱擁の習慣の有無）によって変わると考えられます。皆が外出を自粛すれば、人と人との接触が減り、結果的にβは小さくなります。逆に、3密と呼ばれる状況では、接触が濃厚となりβは大きくなります。Iに対する式は、$dI/dt=(\beta S-\gamma)I$とまとめられ、先に述べたように、$\beta S-\gamma$が正か負かで感染者数が増加するか減少するかが決まることになります。外出を自粛するよう要請してβを小さくし、感染者を減らそうとしたのが緊急事態宣言です。

$\beta S-\gamma=0$は書き換えると$\beta S/\gamma=1$となります。つまり$r=\beta S/\gamma$が1より大きければ感染者は増えて、1より小さければ感染者は減ることになります。rは実効再生産数と呼ばれる量で、一人の感染者が新たに感染させる平均の人数です。ここで、ワクチンを接種する意味について考えましょう。多くの人がワクチンを接種して、免疫を獲得するということは、未感染者Sが減ると見ることもできるし、平均的に感染する確率が減るとしてβが小さくなると見ることもできますが、いずれにしてもrの値が小さくなります。つまり、ワクチンには、接種した人が感染しなくなったり、重症化しなくなったりという効果のほかに、集団として感染が拡大しにくくなるという効果があり、社会的にみると後者の効果の方が重要です。その意味で、できるだけ多くの人がワクチンを接種することが必要で、ワクチンの量を確保するとともに、接種を進めるために安全性を確認することが重要となります。

ここで説明したのは、基本となるSIR方程式ですが、これには多くの改良版があります。ウイルスが体に入ってから他人にうつす感染力を持つまでの期間（潜伏期）を考慮に入れたSEIRモデルや、いったん回復して免疫を得た者が、時間が経つにつれて免疫を失うことを考慮に入れたSIRSモデルなどが代表的です。**図4**にSEIRモデルを用いて、日本全国の新規感染者数の推移を筆者が解析した例を紹介します。データは世界保健機関（WHO）の発表から引用したものです（https://covid19.who.int/table）。βの値は、感染者の増加と減少に合わせて変化させています。ここで、注意しないといけないのは、感染率βは外から与えられるパラメータであって、SIRモデルが与える数値ではないことです。感染者の増減をみると、これまでに3つの山が現れています。2020年3月中旬からの増加期のβの値を基準（β_0）として考えます。このときの実効再生産数rの値は2.5程度で、感染者は急激に増加しました。緊急事態宣言が出された後、βはβ_0の10％程度まで小さくなり、新規感染者は急速に減少してほとんどゼロのレベルまで下がりました。一方、夏に迎えた2番目の山では、ピーク後のβの値はβ_0の30％程度にとどまり、新規感染者の減少は緩慢なものとなりました。さらに、11

図4　国内新規陽性者数

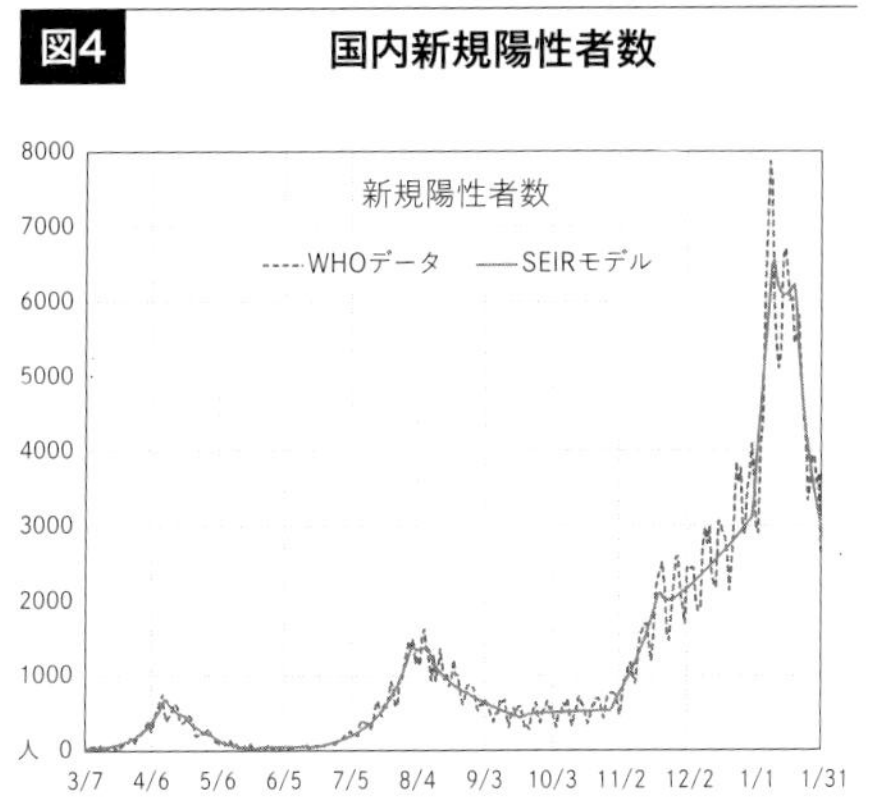

出典：筆者による計算例。データはhttps://covid19.who.int/tableより引用

月から増加を始めた3番目の山では、政府が旅行や会食の自粛を呼びかけた後もβの値はβ_0の50％弱程度で推移した後また大きくなり、年初に感染者は急増しました。これを受けて2度目の緊急事態宣言が出された結果、βの値はβ_0の25％程度まで小さくなり、感染者はようやく減少し始めました。このβの値は、2020年8月よりは小さいものの、1度目の緊急事態宣言のときよりは大きく、新規感染者が十分に減少するには月単位の時間が必要だと予想されます。βの値が小さくなりにくくなっている理由としては、外出の自粛が徹底できていないことが考えられます。$\beta=\beta_0$のときの実効再生産数が2.5程度ということは、感染者の増加を止めるには少なくともβをβ_0の4割程度まで小さくする必要があります。さらに、素早く感染者数を減らすにはβ_0の2割程度とすることが望まれます。2020年春に西浦先生が人との接触を8割減らすことが必要と述べていたのは、このような意味なのです。

新型コロナでは、無症状でありながら他人を感染させる人が多くいることが、感染拡大の一因となっています。感染者人口Iを有症状者のI_1と無症状者のI_2に分けて、方程式を考えることが可能であり、このような分析によって感染拡大のしくみをより詳しく知ることが求められます。

科学者と社会の関わり

皆さんは、門外漢の理論物理学者が、どうして新型コロナの話をするのかと不思議に思われるでしょう。これは、理論物理学者のひとつの習性だと思ってください。物理学者は、宇宙からミクロな素粒子まで森羅万象は、何らかの法則に従って動いていると考えます。ウイルスの感染や増殖についても同じように、何らかの規則性があるはずで、それを解明すればウイルス対策に役立つはずという考えです。

筆者が、分野外の問題に乗り出すのはこれが最初ではありません。放射線の生物への影響の数理モデルというテーマで研究を行い、学術論文を発表し、国内外の学会で講演を行っています。きっかけは、２０１１年に東日本大震災に伴って、東京電力福島第一原子力発電所で炉心溶融事故が起こり、結果として広い範囲に放射性物質が飛散したことです。この事故は国民の大きな関心を集めましたが、残念なことに放射線の健康への影響についての意見が「怖い」派と「大丈夫」派に大きく分かれてしまい、互いの意思疎通が難しい状況が生まれました。これに対し、科学的な知見をベースに議論すべきであると考える科学者グループが、京都を中心として活動を始め、筆者もこれに加わりました。その活動の中で、新しい研究が生まれて、ひとつの新しい流れを作るに至っています。グループは、物理学者を中心としていますが、医師、生物学者、数理統計学者のほか、人文系の研究者も参加し、市民との交流も盛んに行っています。

今回の、新型コロナ感染症の流行に関しても、この科学者グループは早くから注目し、免疫の専門家や医師を中心として議論を行ってきました。放射線の場合には、意見が二つに分かれてしまいましたが、感染症に関しては、西浦先生らの数理モデルによる分析が早くから提示されて、感染を抑えるための対策に生かされるなど、当初は科学が役立っている印象でした。しかし、影響が長引くにつれて、感染症対策と経済対策の対立が目立ち始め、放射線の議論と同じく二つに分かれる傾向が出てきています。

科学と政治との関わりについては、どうするのが最善かは簡単に結論できるものではありませんが、日本の状況は科学が政治にうまく反映されていないと言えます。現政権は、科学を尊重するのでなく、科学を利用しようとする意図が明白で、科学者のひとりとしては残念でなりません。ただし、科学者の側にも問題はあります。日本学術会議の委員の任命に際し、これまでは慣例的に学術会議からの推薦通りに政府が全員を任命していたものが、今回はその一部の任命を拒否したことを、皆さんは知っているでしょうか。科学者の団体（学会）からは、当然のように抗議の声が上がりましたが、国民に広く支持されているように見えません。むしろ、科学者も国に協力するのが当然で、政府に反対する科学者は任命を拒否されてもしかたないという声も多く見かけます。筆者は、科学者は客観的な立場から物事を見て、政府の考えとは独立に意見を言えることが大切だと考えていますから、政府に反対したからという理由（公式な理由は出されていませんが）で任命を拒否されるべきでないと思っていますが、このような科学者の意見を多くの国民と共有できないのは、日常的に科学者と国民のつながりが足りないことが原因でしょう。英国には主席科学顧問、米国には科学技術担当大統領補佐官という制度があり、政府が科学者の意見を取り込むしくみができています。新型コロナ感染症への政府の対応を考えると、日本にもこのような制度が求められているのではないでしょうか。

なぜ予測をするのか?─新型コロナウイルス感染症の理解からコントロールへ……矢田勝俊

ポイント
- 新型コロナウイルス感染症の感染モデルには感染者の隔離状態を考えることが必要。
- PCR検査を無制限に拡大することは医療崩壊をもたらす。
- 様々なアプローチから新型コロナウイルスへの対策が必要。

新型コロナウイルス感染症の感染拡大の猛威は収まる気配を見せず、世界中で多くの死者を出すという深刻な状況を招いています。このような危機的状況のもと、メディアによる報道の中にはいたずらに危機感を煽るものや根拠に乏しい意見も散見されます。私たちは多くの情報に惑わされず、より冷静な判断、適切な行動が求められますが、接する情報を正しく理解することは想像以上に難しいことです。感染者数の予測はそうした情報の1つで、多くの国の関心を集めていますが、それらを正確に理解しているかは疑わしいものが多いです。そして、それらの情報が現実の施策にうまく利用されたとも感じられません。本稿では新型コロナ感染症に関する予測問題について、日本独自の状況を理解しながら、予測の本質について理解を深めていきたいと思います。

新型コロナ感染症を予測してみよう

新型コロナ感染症に関連した予測と言えば、陽性者数の予測が思い浮かぶのではないでしょうか。その中でも記憶に新しいものが、西浦モデルによる「42万人死亡」という衝撃的な予測でしょう。感染拡大初期に北海道大学教授（当時）の西浦博氏が何も対策を取らない場合、42万人が死亡すると予測し、人との接触を8割減らすべきだと警鐘を鳴らしました。これは無防備な世の中に対して危機感を煽るためであったと思われますが、その予測自体は現実との大きな乖離があり、物議を醸すことになりました。

一方、大阪大学教授の中野貴志氏が提案したK値も世間の大きな関心を集めました。簡易的に傾向を捉えるため、簡便な数値のみで構成されるK値は、それから得られる結果が楽観的であったことも相まって、一部の政策決定者にも好意的に捉えられました。しかしながら、K値は単に傾向の一部を表現しているにすぎず、実際の予測には向かないことが分かってきました。少なくともK値は事象の構造を何ら反映しておらず、したがって有用な政策への示唆を提供することは難しいと言えます。

近年、新型コロナ感染症に関する陽性者数の予測ほど注目された予測はないでしょう。多くの国民がニュース、新聞で**図1**のような予測結果

図1　新型コロナウイルス感染症の感染状況

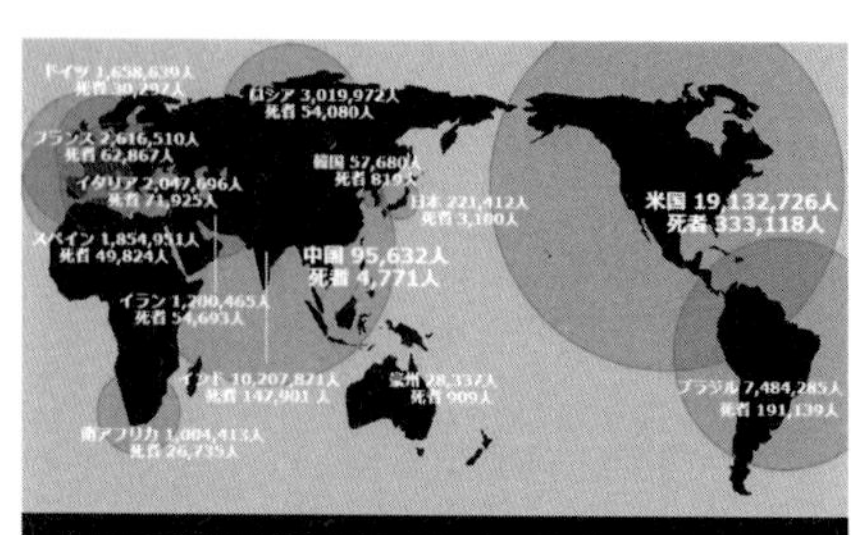

データ出典：ジョンズ・ホプキンズ大学（2020年12月27日時点）

を目にし、その行動に影響を与えたと考えられます。しかしながら、予測というものについて、我々はどれだけその意味を理解できているのでしょうか。新型コロナ感染症に関する予測の多くは陽性者数や重症者数、または死亡者数を予測しようとするものです。予測する数字は違えど、その目的を理解することは、政策立案や今後の我々の行動に重要な示唆を提供してくれると思われます。

予測をする目的は大きく2つに分けることができます。第一に陽性者数や重症者数を予測すること自体が目的である場合です。これらの予測値は感染状況の把握や医療体制の整備予定に極めて重要な情報となります。もちろん、国民の危機意識を高めることにも貢献するだろうし、政策立案の指針にも大きな影響を与えるでしょう。第二の目的は、予測モデルによって感染の発生構造や影響を与える要因が明らかになり、今回の感染症の理解が進み、コントロールできるようになることです。正確な予測をするためには、モデルの中で感染の構造をより正確に再現できなければなりません。それらを明らかにすれば、より効果的な感染症対策、政策立案が可能になるはずです。それでは、感染症の理解が正確な予測につながっていることを、今回の新型コロナ感染症を例に見ていきましょう。

図2　**感染症のSIRモデル**

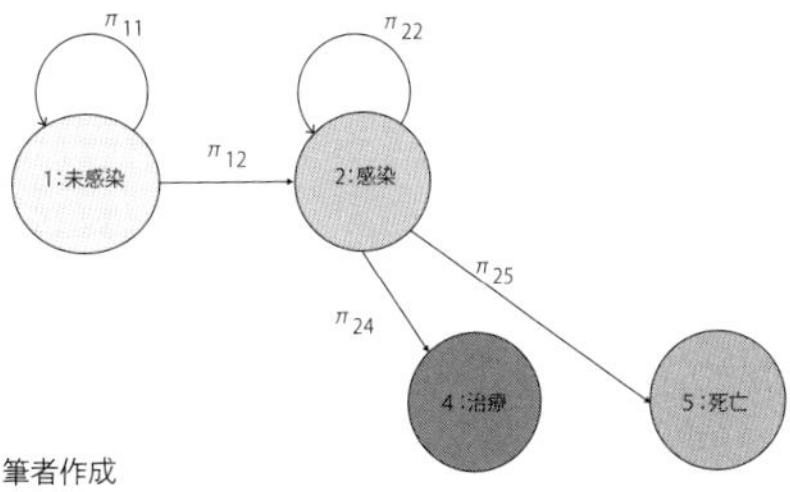

π_{11}
π_{22}
1：未感染
π_{12}
2：感染
π_{25}
π_{24}
4：治療
5：死亡

筆者作成

感染症に関する最も基本的なモデルの1つがSIRモデルです。**図2**にそって、SIRモデルが感染状況をどのように表しているかを説明してみましょう。感染前、人々は「1．未感染」の状態から時間の経過によって変化していくことになります。未感染者は他者と接触し、ある確率で感染が引き起こされます。そこで「2．感染」の状態になります。「2．感染」の状態にある感染者は一定の期間が過ぎれば、次の段階として、「4．治癒」するか、「5．死亡」の状態に至ることになります。このモデルの中には人が感染症にかかり、社会に蔓延していく状況が表されています。

　このようなＳＩＲモデルは欧米、中国などで現在の新型コロナ感染症の予測に用いられており、一定の成果をあげているようにみえます（Chen, J. et al. 2020 'Predictive Modeling for Epidemic Outbreaks: A New Approach and COVID-19 Case Study', Asia-Pacific Journal of Operational Research, 37(3), pp. 1–21.）。しかし、これらのＳＩＲモデルは日本の状況とは異なる前提が必要となります。**図2**から分かるように、ＳＩＲモデルでは感染した顧客は治癒するか、死亡することになります。ただし、新型コロナ感染症の場合、症状が出ない場合もあり、ＰＣＲ検査などの精度は十分に高くありません。さらに日本国内では、医療施設が短期間で患者数の急増に対応することは難しく、感染が判明したとしても隔離する医療体制が整っていないことも考えられます。正しい予測にはこうした現実の構造を正しくモデルに反映させていかなければなりません。

図3　新型コロナウイルス感染症に関する中西モデル

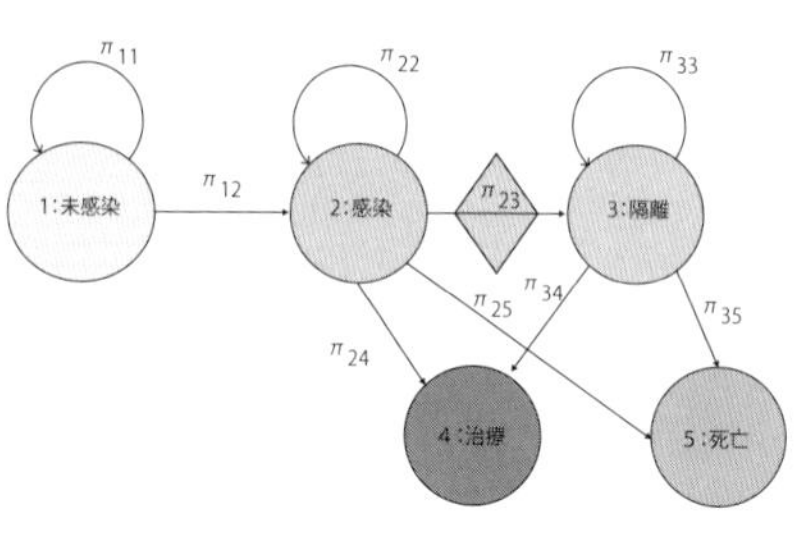

出典：中西正雄(2020)『PCR検査はコロナウイルス終息の特効薬か』(RISS DPシリーズ 第87号 2020年6月，3ページ)

　そこで、日本国内の状況に合わせ、**図3**のような中西モデル＝中西正雄（２０２０）「ＰＣＲ検査はコロナウイルス終息の特効薬か」（ＲＩＳＳ

DPシリーズ・第87号）＝が必要となってきます。SIRモデルとの違いは「3．隔離」の状態を明示的にモデルに取り込んでいる点です。今回の新型コロナ感染症に感染した患者は必ず陽性者として識別できる訳ではありません。まず、感染者がこのウイルスに曝露（ばくろ）し、何らかの症状を発症するまでの期間は最大で14日間程度と言われています。また感染したとしても、無症状の場合も少なくありません。このような場合、検査が遅れたり、または必要性を感じず検査を受けないことも多く、陽性者が隔離されないまま治癒していくこともあります。さらに当初はPCR検査の体制が整備されておらず、症状が出ている感染者ですら検査が遅れ、隔離が十分にできない状態もありました。こうした国内の状況を考慮すると、感染状況の遷移で隔離の状態を識別することは重要であり、それを実現した中西モデルは現実の問題に貴重な示唆を提供してくれます。

シミュレーションをしてみると何が分かるのでしょうか

一時期、PCR検査の不足が大きな問題としてマスメディアに取り上げられ、様々な議論が巻き起こったことがありました。隣国では徹底したPCR検査を実施し、感染初期に拡大を抑え込みましたが、日本ではPCR検査の体制が整わず、感染を疑われる患者ですらPCR検査を受けることができない時期もありました。すると、一部のメディアや評論家たちはPCR検査の体制を即座に増強し、多くのPCR検査を実施することが重要であると主張し始めました。それらの議論には「3．隔離」を曲解したり、国内の様々な事情を無視したものが多く見られました。

中西氏が指摘するように、ＰＣＲ検査は新型コロナ感染症の万能薬ではありません。ＰＣＲ検査は当該感染症の感染の有無を判定するものであり、治癒させる治療薬ではなく、ＰＣＲ検査さえ受ければ、感染拡大が自然に止まるというものでもありません。ＰＣＲ検査は、判明した感染者を確実に隔離し、治療して初めて感染拡大の防止に役立つものです。

しかしながらＰＣＲ検査を通して感染者を確実に隔離するためには、検査によって感染者を確実に把握できなければなりませんが、現在の検査機器・試薬では１００％の予測精度を実現することはできません。また、感染が広がり、検査による陽性患者が増えると、患者を隔離する医療施設の拡充が必要になるでしょう。しかし、国内の医療体制は今回のような感染症に対して十分な想定ができておらず、短期間での対応は難しいのが現実です。さらに言えば、感染拡大を食い止めるには感染者を漏れなく検査し、隔離する必要がありますが、今回の感染症は症状が出ない無症状の感染者も多いことが分かっており、感染の可能性のある対象者すべてに検査を実施することは極めて難しいと言えます。

一部のメディアではとにかくＰＣＲ検査の拡大を主張し、それが感染拡大の処方箋のように喧伝されていました。それらはＰＣＲ検査をより多くの人々に実施することで感染者を発見することばかり注目していますが、その影響を十分に考慮しているとは言いがたいものです。検査を拡大すれば多かれ少なかれ隔離すべき感染者数が増加する。隔離すべき感染者数が増加すれば、それに対応する医療体制も必要となるが、それら設備・医療スタッフの充実について、どのように確保できるか検討している形跡は見当たりません。感染者が急激に増加すれば、対応する医療施設も急増し、既存の重症患者への医療サービスが低下し、重症化、死に至るケースも増加させてしまう

図4　**隔離率が異なる場合の累積感染者の人口比率**

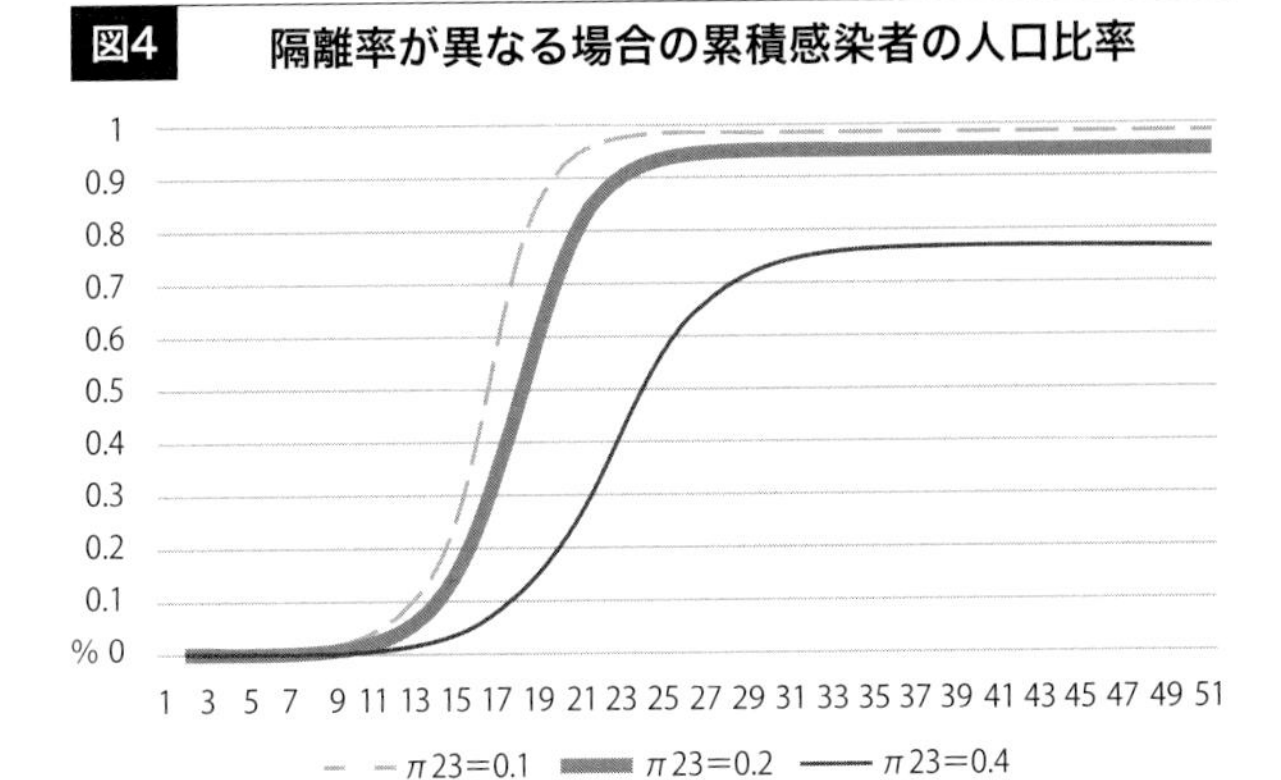

出典：中西正雄(2020)『PCR検査はコロナウイルス終息の特効薬か』(RISS DPシリーズ 第87号 2020年6月, 5ページ) ※引用に際し線種を変更しました

かもしれません。この状況こそが最も避けるべき医療崩壊です。

それではここで、前述した中西モデルを用いて、ＰＣＲ検査の拡大がもたらす医療崩壊への影響について、どのような示唆が得られるのか紹介していきましょう。中西モデルは、感染プロセスの中に隔離状態を明示的に取り込むことで、様々なシミュレーションを行うことができるものです。新型コロナ感染症は潜伏期間が最大２週間と言われ、検査方法も１００％の精度のものはなく、感染者を確実に把握することは困難です。したがって、感染者全員を確実に隔離することはできず、ただし、市中の感染者を減らすことができる、完璧な感染防止策はありませんが、様々な感染対策を通して感染者を把握し医療施設などに隔離する確率（隔離率）を上げることは可能でしょう。それでは、それらの政策はどの程度の隔離率を目指せばよいのでしょうか？

図4は隔離率（π23）が0.1（破線）、0.2（太線）、0.4（細線）の場合における感染者の累積比率について、初めての感染者が出てからの時間の経過に伴う変化を示しています。隔離率が最も低い0.1だった場合、感染拡大はあっという間に広がり、第50期には全人口の

99・12％が感染する事態となっています。それに対して、比較的、隔離率が高い0.4だったらどうでしょうか？　同様の第50期に76・93％にとどまっており、感染拡大を抑制できています。つまり、同じ感染力を持った感染症であっても、感染拡大の初期から感染者をしっかりと隔離できれば最悪の状況は避けることができるようです。全体の感染者数が抑制されることから、死亡者数自体も抑えられることになり、感染者を早期に隔離することの重要性が理解できます。

ＰＣＲ検査の無制限な拡大は必要でしょうか？

前述のシミュレーション結果は、隣国の状況とも合致するものです。韓国は感染拡大初期にドライブスルー型など圧倒的な規模のＰＣＲ検査を実施し、感染拡大を抑え込むことに成功しました。しかし、新型コロナ感染症は無症状の感染者が相当数、含まれており、感染者を確実に検査することは難しく、無症状の感染者が市中に放置されることは避けられません。初期に感染拡大を抑え込んだ韓国でさえ、現在では感染拡大に苦しんでいることからも、ＰＣＲ検査を拡大するだけでは感染拡大を抑え込むことは難しいのです。

ＰＣＲ検査の拡大を絶対視する論者も見られますが、彼らは検査そのものを理解していないようです。検査は治療行為とは異なるという当たり前の事実でさえ理解しているのか不安になります。繰り返しますが、検査が意味を持つのは、判明した感染者を確実に隔離し、治療することで初めて感染を抑制することができるのです。残念ながら、日本の感染拡大初期は既に過ぎ去り、感染が拡大し第２波、第３波と深刻な状況を迎えています。このよ

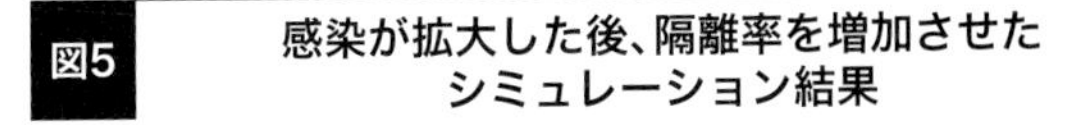
図5　感染が拡大した後、隔離率を増加させたシミュレーション結果

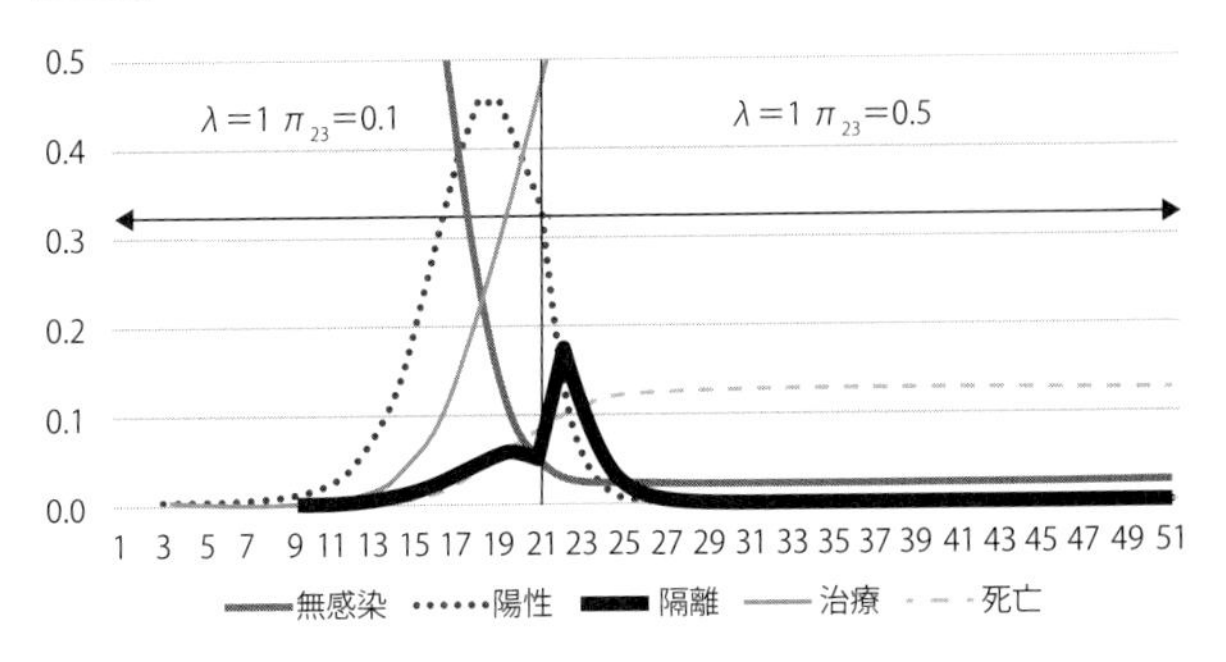

出典：中西正雄(2020)『PCR検査はコロナウイルス終息の特効薬か』(RISS DPシリーズ 第87号 2020年6月, 10ページ) ※引用に際し線種を変更しました

うな状況のもとで、PCR検査の拡大はどのように考えればよいのでしょうか。

中西モデルの興味深いシミュレーションは重要な示唆を提供してくれます。このシミュレーションでは、日本のように感染拡大初期にPCR検査の拡大をせず、一定期間が経過し、感染者が増加してしまった状況を想定しています。図5において、初期は隔離率を0.2で設定し、第21期から隔離率を0.5に上げたとき、隔離する感染者がどのように推移するかを示しています。隔離される人口比率(太線)に注目してください。第21期を境に隔離者の人口比率が急激に増加していることが分かります。隔離率を上げれば、無症状の感染者を含め、市中に存在する陽性者数(点線)は確実に減少させることができます。しかしPCR検査を急激に増加させれば、隔離すべき感染者数も急激に増加し、隔離する医療施設、治療するための医療サービスがこの急増に対応しなければならなくなります。

国内の状況を鑑みるに、急激な感染者の増加に対し、医療施設の増強・新設、ならびに医療サービスの拡充を即座に実現することは極めて難しいのが現実です。日本では軽症者の隔離のための施設でさえ十分な確保ができないのは周知の通りです。したがって、感染者が想定を超えて増加すれば、医療設備・サービスが対応できず、隔離すべき感染者を隔離できなかったり、隔離者が治療を受けられなかったりすることが予想されます。これが最も避けるべき医療崩壊と言われる状況です。医療崩壊が起これば感染者だけではなく、他の病気の患者の治療にも大きな影響を与え、深刻な事態も招きかねません。PCR検査の拡大は既存の医療施設や医療サービス、その対応可能性を十分に考慮しながら実施する必要があると言えるでしょう。

緊急事態宣言や外出自粛要請の効果は

2020年春、新型コロナ感染症の感染拡大に伴い日本では緊急事態宣言が発令され、外出自粛などが国民に要請されました。新型コロナ感染症に関する専門家会議は人との接触を8割減らすように国民に要請し、当時の総理大臣も外出自粛など様々な国民へのお願いを長期にわたって要請しました。いわゆる第1波はこれらの対策によって沈静化されたと言われています。中西正雄は前述の研究でこれらの効果についてもモデルによるシミュレーションで明らかにしています。

その結果によると、人的接触を35％減少させた場合、流行の終息時期が大きく遅れ、要請の効果はあまり見られません。しかし、人的接触を80％まで減少させると新規感染者が急激に減少し、流行を抑え込めることが示されてます。西浦モデルでも同様の指摘がなされましたが、異なるアプローチでも同様の効果が示されたのです。しかしながら、人的接触を減らし、感染拡大を一時的に収束させたとしても、その後、第2波が起こり感染の再拡大が予想されます。

西浦モデルでは最悪のシナリオとして42万人死亡の衝撃的な数字が発表され、人的接触8割減が示されました。人々の行動変容を引き起こすには十分なインパクトでありましたが、その後の対策が十分に示され、実施された記憶はありません。前述したように、PCR検査は感染拡大初期にこそ効果を発揮することを合わせて考えれば、一時的な感染抑制だけでは政策としては不十分であることが容易に想像できるでしょう。中西モデルが指摘するように、第2波が来ることが予想されるなら、緊急事態宣言中にPCR検査の体制を充実させ、感染再拡大を未然に防ぐことを考えるべきだったでしょう。提言としては含まれても、政策としては自粛要請と検査体制の拡充・整備はセットとして実施されるべきであったと言えます。

感染症モデルと消費者行動モデルの関係

既存の感染症モデルはその多くが現状の医療体制を十分に反映したものとなっておらず、政策を考える上では適していると言えません。中西モデルは国内の様々な状況を柔軟に枠組みに取り入れ、高い精度の予測を実現し、重要な示唆を提供してくれています。ここでは中西モデルがどうして国内の医療体制等、実情に合わせたモデル化が可能なのかを紐解いてみましょう。

中西モデルは消費者行動モデルをベースに、国内の感染状況に合わせた感染モデルとして構築されたものです。

ビジネスの中で発展してきた消費者行動モデルは元来、感染症の古典的なＳＩＲモデルを起源とするもので、感染症の予測とは非常に親和性の高いものです。図6をみても分かるように、人々が感染症に罹患し感染拡大していく様子と、新商品が口コミなどを通じて多くの人に普及していく様子はよく似ています。注目すべきことは、感染症モデルを基礎にした消費者行動モデルが激しい環境変化にさらされ独自の発展を遂げており、様々な条件や環境のもとでも機能するように理論整備されていることです。

図6　感染症の拡大と新商品の普及

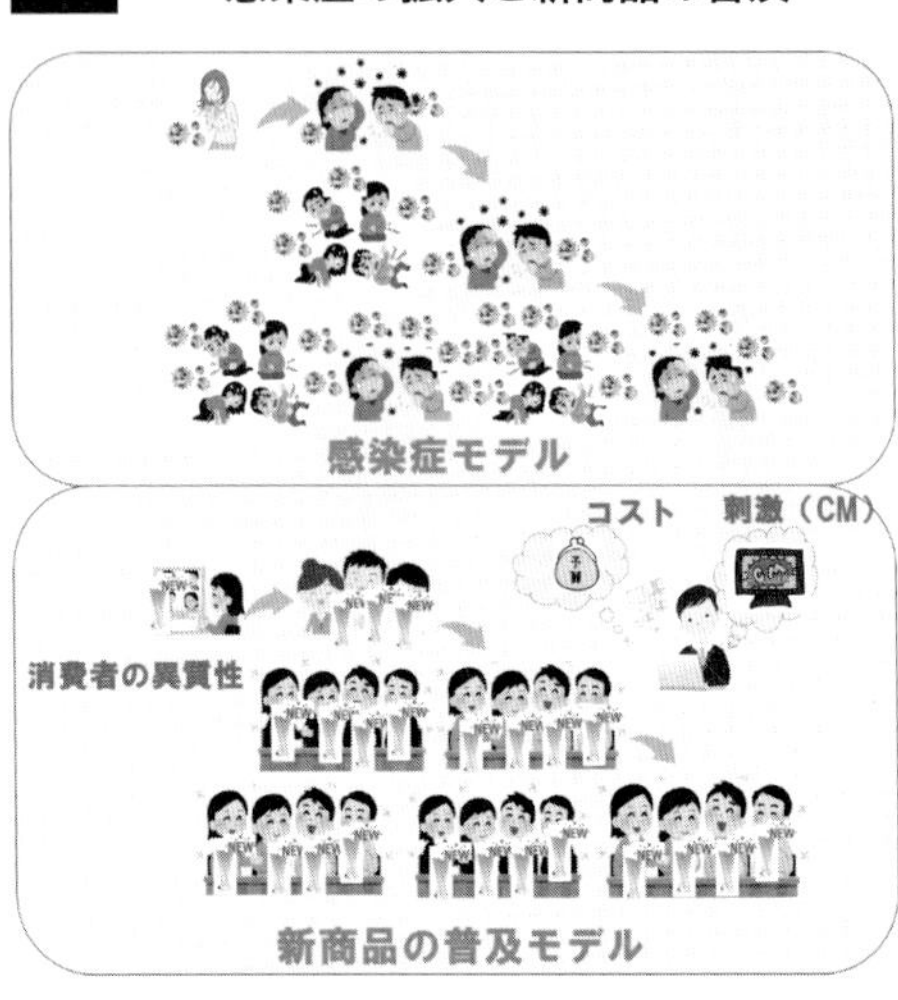

感染症の拡大に関するデータを収集する機会は滅多に訪れるものではありません。感染症モデルはそれほど多くのケースを扱うものではなく、感染症間の違いを詳細に調べるデータ環境が整うことは滅多にありません。一方、ビジネスはまったく事情が異なります。国内だけでも膨大な数の新商品が市場に投入され、毎年、多くの商品がヒットし人々の間に普及しています。世界中の国で、時間を問わず、様々な条件の下であらゆる商品が投入されており、それらの商品の需要予測を多くのマーケティングの研究者や実務家がモデル構築を通して行っていま

す。消費者行動モデルには複雑な社会要因を扱える経験、研究蓄積が十分にあるのです。

今回の感染症対策には複雑な要素が関係しており、様々な制約条件がありますが、それらを考慮しながら予測することは簡単なことではありません。感染症モデルは感染症の種類、特性に応じた予測方法がありますが、今回の状況に対応できるほど複雑な社会要因を考慮に入れたモデルは見当たりません。消費者行動モデルは多様な社会的要因だけでなく、それぞれの消費者（または感染者）の違いまで考慮することができ、多くの示唆を提供してくれます。消費者行動モデルは感染症の拡大予測にも十分に応用が可能なのです。

政策の側面からも消費者行動モデルは重要な知見を提供してくれるものです。メディアでは多くの意見が入り乱れていますが、現代社会において、感染拡大を抑制することだけに注力する訳にはいかず、経済との両立を図る必要があることは自明なことでしょう。しかしながら、ほとんどの論者について、その具体的な政策についてはエビデンス（科学的根拠）を基にした議論は見当たらないのが実状です。政策の与える影響を考えようとしても、感染症モデルでは扱いきれないものが多すぎるのです。例えば、既存の感染症モデルの中で「Ｇｏ Ｔｏ トラベル」が与える影響を考慮した理論があるとは考えにくいでしょう。その点で消費者行動モデルは、大型キャンペーン、日々の販売促進等、類似のイベントを常に考慮に入れて構築されるもので、様々なアプローチが研究されており、政策に有用な示唆を提供してくれるものと考えられるのです。

確かに感染症モデルは長い歴史の中で様々な感染症に関する知見を蓄積し、貴重な政策的示唆を我々に提供してくれるものです。しかし、環境変化が激しく、複雑な社会要因を考慮しなければならない現代では、様々な分野のアプローチを適材適所で取り入れていかなければ柔軟な対応は難しいでしょう。したがって、より正確な予測を行い、現状にあったモデルを構築するため、我々は関連する要因をしっかりと把握し、必要な技術、アプローチを目利きする力とそれを実装する力が求められています。

今からでもできることはまだあります。例えば、感染状況を把握するのに陽性者の人数や条件は一部、公開されていますが、検査で陰性だった被験者の情報は一切、分析されている様子はありません。感染症の専門家から見れば陽性者の情報を重視するのは当然かもしれませんが、マーケティングの研究者からみると、非陽性者の情報も合わせて分析することで有用な知見が得られるのではないかと感じます。

必要な技術、アプローチだけではなく、多様な研究者の観点を集めることでこれまでとは異なるアイデアが生まれる可能性もあるでしょう。個人情報に留意しながら新しいデータを公開することは、必要な技術やアプローチだけでなく、新しい研究者の関心を引き寄せることができるでしょう。新型コロナ感染症は日本という国の総力をあげて対応していくべきです。こうしたデータを公開することは国内の研究者の協力ネットワークを強化する起爆剤となるのではないでしょうか。私たち研究者も自らの専門分野に閉じこもるのではなく、こうしたデータに真摯に向き合い、研究成果を社会に還元することも考えていくべきでしょう。

第5章

「出口戦略」を考える 判断の根拠は何か

関西大学社会安全学部　教授

越山健治(こしやま・けんじ)

1972年生まれ。神戸大学工学部環境計画学科卒業、同大学院自然科学研究科博士前期課程修了。博士(工学)。神戸大学大学院自然科学研究科助手、人と防災未来センター研究員を経て、2010年から関西大学社会安全学部に所属。専門は、都市防災計画・復興計画論・災害対応計画論。主な著書として「災害危機管理論入門」(分担執筆・弘文堂)等がある。

関西大学社会安全学部　准教授

菅原慎悦(すがわら・しんえつ)

1984年、神奈川県横須賀市生まれ。元はいわゆる「文系」だが、工学や技術の現場に近い組織に身を置いてきた。原子力工学の博士課程も終盤に差し掛かるころ、福島原発事故を目の当たりにした。現在は、人文・社会科学の知見や視点を、技術システムのリスク評価やリスク管理にどのように活用できるかという観点から、特に原子力を対象として研究を行っている。

国や自治体の新型コロナウイルス感染症災害への危機管理をどう見るか？……越山健治

ポイント

- 日本の危機対応の基本型は、被災地外から被災地への資源配分である。
- 感染症災害は、この基本型とは異なる方策が必要だが、法制度や計画が追いついていない。
- 地方自治体は、独自策の中で危機管理の基本型に沿った対応を行った。

危機管理とは何か？

私たちの身の回りには大小さまざまな危機となりうる事象が存在しています。けがや病気、事故、火災など日本国内でこの瞬間も何かがだれかに発生しているでしょう。しかし、これらは個人にとって危機と呼ぶことであっても、病院や消防、警察といった組織にとって危機対応とは呼びません。また日本社会にとっても危機とは呼ばないでしょう。毎日、毎年起きている事象で、それなりの対応がなされていて、社会全体に影響を及ぼしていないからです。つまり事象を扱う立場や組織によって、危機と呼ぶかどうかは異なります。おおよそ組織は、数多く発生する事象については、それに対応できる資源を持ち適正に配置し、適切な手続きがあり、それを実行することで問

図1　**平常と危機の捉え方**

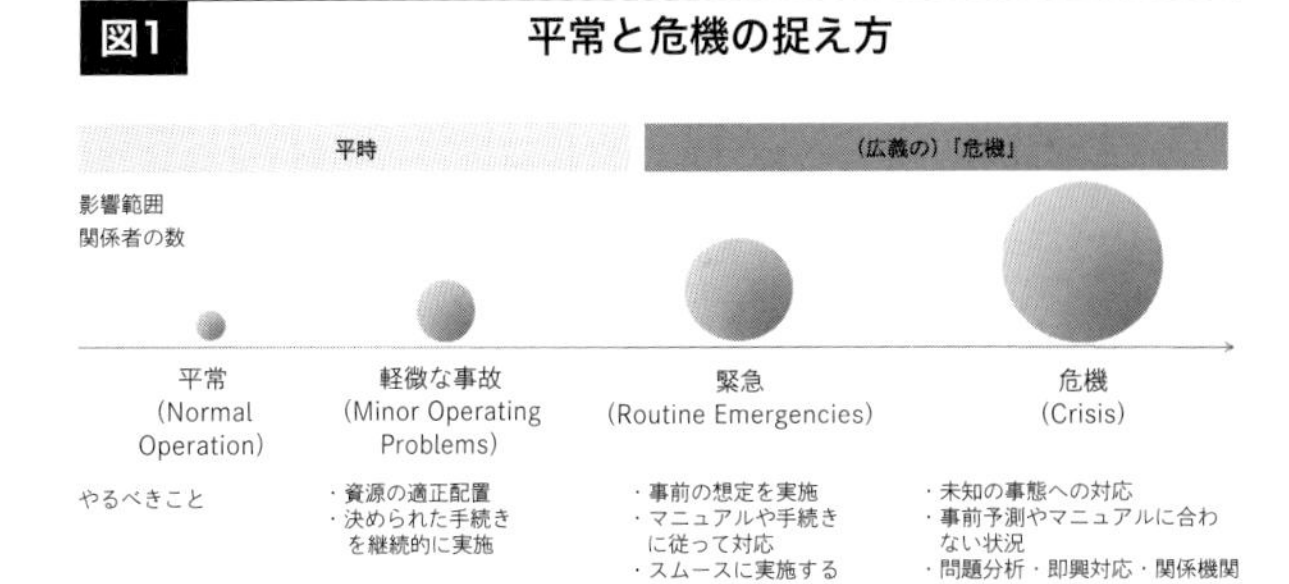

出典：永松伸吾（関西大学）作成講義資料

題が処理できるようになっています。これは大きな意味で「平常」です。感染症であっても、例えば毎年流行するインフルエンザは、実際多くの死者が発生しますが「危機」とは呼びません。

ところが稀に起こる事象において、うまく処理が進まない場合や、問題が予想以上に大きくなり影響範囲が拡がる場合があります。この時には、日常の資源配置や手続きを変更した対処が必要となります。このことを緊急対応と呼び、大きな意味で「危機」と呼びます（**図1**）。しかしこれもある程度事前に予測を立て、問題を想定し、計画や訓練をしておくものとして扱われます。日本社会において、毎年のように発生する規模の自然災害対応などがこれにあたります。つまり、組織にとって緊急対応とは、いざという時のために準備していたことを実行することと捉えることができます。この場合、状況は切迫していますし、活動するために関係する組織も増えるので、計画通りにはなかなか物事が進みません。そこで、指揮命令とか意思決定、相互調整といった機能が必要となります。誰かが判断し決めることで、状況に応じた資源を調達し協力して、計画通りではないこと、または計画にはないことを実行できるしくみを作動させます。

では、緊急対応を超える危機対応とはどのようなことなのでしょうか？　専門的には、①未知の事態への対応②事前予測や計画に適合しない状況③予定調和的な手続きよりも即時即興的な対応が求められる状況④それらを実行する関係者間の協調・協力が必要な状況、が複合的に生じることを指します。想定できていない事態が発生し、影響する範囲も拡大するので、あらかじめ決めておいたり、準備しておいたりしたものだけでなく、さらに新たな何か（資源、組織、ルールなど）を随時投入して、諸課題に対処する状況となります。緊急対応よりも、さらに指揮命令や意思決定、組織間の相互連携、さらには市民との意思疎通が状況を左右する重要な役割を果たすことになります。

この危機対応時に必要な考え方として「状況認識の統一」という言葉があります。危機を乗り切る際には関係する人々が協力・協調することが求められますが、その際、それぞれが現状の危機を同じように認識しておく、また向かう方向（目標）を同じように持っておく、という意味の言葉です。。

私たちが属する社会組織は、このような平常と危機があることを意識しながら、何か起きたときに対応できるように能力や資源、組織の役割、ルールなどを事前にマネジメントしています。この一連の考え方を「危機管理」と呼んでいます。もう少し拡張した意味付けをすると、危機管理とは、危機となる事象が発生した時に、なんとか対応して平常に戻すようにマネジメントすることとなります。危機に対するさまざまな情報を収集し、分析し、意思決定して総合的な対策を打ち、危機対応から緊急対応へ、さらには危機時から平常時へとシフトすることを目指します（図2）。

図2　危機管理の捉え方

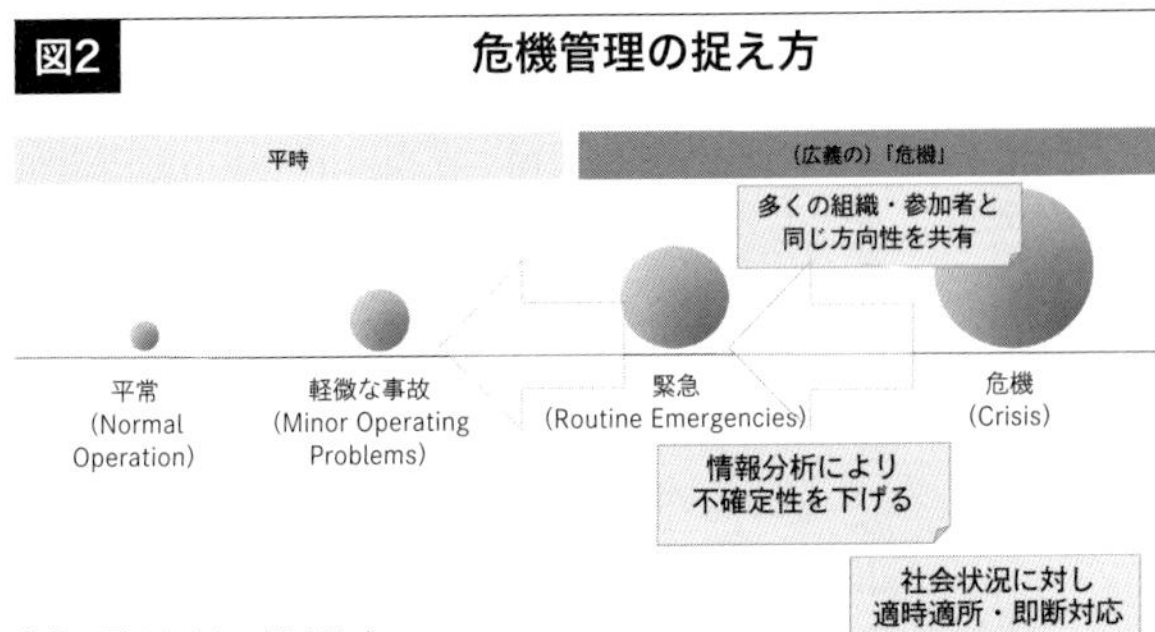

出典：図1をもとに筆者作成

新型コロナ感染症はいつから危機になったのか？

この危機管理の枠組みで新型コロナ感染症への対応を見てみましょう。

まず、そもそも危機なのかどうかですが、新型コロナに限らず感染症という事象は、グローバルに激しく人や物が動く現代社会において、国境というバリアを簡単に越えてしまいます。そのため危険な感染症については世界保健機関（ＷＨＯ）が中心となって国際協調をするしくみがあり、発生確認、調査、感染範囲のモニタリングなどを行い、危険度や拡大規模に応じてフェーズ1からフェーズ6までを宣言します。ＷＨＯ加盟国はフェーズに応じた対応計画の作成が求められています。このしくみは、２００９年の新型インフルエンザ感染症の世界的流行時に運用され、その後新型インフルエンザ（強毒性）を想定した全体計画が確立しました。そして今回、２０２０年3月11日にＷＨＯは新型コロナウイルス感染症をフェーズ6にあたる「パンデミック（世界的大流行）」と認定しました。その後も感染者は増大し続け、死者も膨大な数になり、世界全体が影響を受けている危機事象といえるでしょう。

これを日本の立ち位置で考えると、最初の危機発生国が近隣国の中国であり、早い段階からこの感染症を「危機になり得る」事象として対応してきました。しかしながら、国内において感染力やその危険度が強烈であるかといわれれば、そこまででもなさそうだ、しかしインフルエンザとは異なる病性を持ち、死者も発生しているから通常の対応では難しいようだ、といった不確定な状況の中での危機対応を迫られることとなりました。実際には、最初は様子見から始まりつつ(2月上旬)、急速に感染者が国内で拡大し社会混乱が生じ始め(3月上旬)、国としての感染症対策体制を正式に設定する(3月下旬)といった段階を踏みました。感染症という事象は、その組織にとって「危機の同定」をする時期、またその判断が難しいことがわかりました。

また日本国内で感染者数が拡がりはじめ、死者が発生するようになった時点で、欧米では猛威を振るっていました。感染者および死者の急増により、「この感染症が非常に危険である」という情報が全世界に伝わり、同じようなことがどの国でも起こることを予想させました。日本においても、もしこのまま対策をしなければ、欧米の被害と同じようなことが起こる、との専門家の予測も飛び交い、非常に混乱した状況が発生しました。この海外における被害状況情報も今回、日本社会において「危機」のスイッチを入れた大きな要因となりました。

自然災害対応との違い(1)　「防ぐ」と「対応する」が混在する?

今回の新型コロナウイルス感染症災害対応を日本の国・地方自治体でよく行われる自然災害対応と比較して特徴を明らかにしていきます。

近年国全体で危機対応した事象として挙げられるものとして東日本大震災があります。地震災害・津波災害・原子力発電所事故災害およびその他の現象も加わり、東日本全体に被害が発生し、西日本も含めて影響がありました、その対応は日本全国の資源を用いて行われました。またもう少し小さい事象でも、自然災害が起こればその市町村、都道府県といった地方自治体は危機管理を行います。今回の感染症対応も基本的には地方自治体対応がメインとなっています。では、自然災害対応と比較して何が異なっているのでしょうか。

1点目は、「危機が発生したという明確な節目がなく、連続的である」ことです。危機対応・災害対応は、大きく4つの象限に分けられており、それぞれ「予防」「準備」「対応」「復旧」と呼ばれ、時間フェーズで区切りながら活動内容を変化させていくことが一般的です（図3）。この場合、準備と対応の間に「災害発生」という明確な被害発生点があり、その前と後を分けることができます。組織の危機管理論では、事前をリスクマネジメント、事後をクライシスマネジメントと呼んだりします。自然災害だと、例えば地震が発生したとき、津波が襲来したとき、河川が破堤したとき、が発生点となり、その後は避難や復旧など被害に向き合う対応をすることになります。自然災害の一般的な防災計画を見ると、被害が発生しないように地域の自然現象に向き合い、主に物に対する予防的な事前対策を行い、いざ起こった場合は主に被災社会で起きたさまざまな人の課題に全組織で対応する、となっています。災害発生で、活動対象が物から人へ、仕事内容が「防ぐ」から「対応する」へ切り替わる「点」があり、これが平時と危機時が変わる「点」とも言えます。

図3　災害対策サイクル

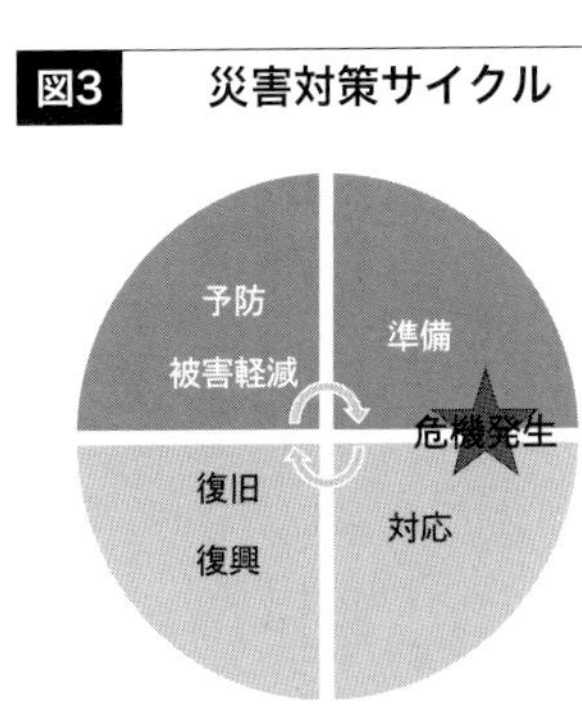

出典：FEMA（アメリカ合衆国連邦危機管理庁）

ところが感染症災害は、この被害発生点が不明確となります。地方自治体にとっては、海外の感染症の発生情報から、国内の患者の発生、近隣における患者の確認、自治体内における患者の発生、感染者の増大…と、徐々に被害が近づき、発生・拡大していきました。自然災害のようにある時点(地震だと一瞬、津波だと数時間、水害だと数時間から数日)で切り替わるものではなく、徐々に平時から危機時へと変化していきます。また、自然災害と異なり、新型コロナウイルス自体へアプローチではなく、予防段階から人々や社会が関係する公衆衛生的アプローチを必要とするので、物から人への対策対象の切り替えもありません。組織対応の面から見ると、自然災害の場合なら災害発生後に切り替えて、資源と仕事内容をチェンジすることになりますが、感染症災害は、連続して社会を対象として、予防を継続させながら、かつ準備と対応にも資源を配分し、さらにこれらを同時に行うものであるといえます。

自然災害対応との違い(2)　被災地ってどこ?

2点目は、地方自治体にとって「被災地、さらには被災社会という境界がほぼない」ことです。自然災害は、例えば洪水時の浸水区域のように、被災した空間には境界があり「被災地」が存在し、同時に「被災者」がいます。自然災害の災害対応は、被災者への対応であり、被災社会の回復を目標に活動が行われます。多くの場合は、被災地や被災者が自ら持つ資源だけでは不足するので、被災地外から資源を移動して対応することになります。自然災害の危機対応の根幹は、「資源のあるところから不足しているところに配分すること」と表現されます。阪神淡路大震災でも、東日本大震災でも、最近の地震、水害でも、市町村内の被災地以外の場所、または周辺市町村から、または都道府県から多くの資源が入り、支援があり、災害対応がなされ、被災地が回復していくというプロセスを歩みました。

一方、感染症災害はこの境界が明確にはありませんので、社会全体が被災者・被災地ともいえますし、そうでないともいえます。被害や危険と表現される得体の知れないこわいものが、なんとなく全体に漂っている感じです。そのため、一人一人の予防がすでに危機対応になっています。このような場合、被災地外から被災地内へ資源移動するという解決策がうまく機能しません。例えば、トイレットペーパー不足問題がありましたが、これも「みんながわがことの危機と捉えた」からこそ起こる現象なのかもしれません。資源移動ではなくあらゆる場で資源が消費されてしまうということです。

さらに、感染症患者が増大している市町村には、多くの支援が駆けつけるのではなく、逆にそこから人が遠ざかることが起きます。人が動かなければ、物も動きませんし、活用可能な情報も動きません。「被害を受けたら支援が入り、状況が改善される」という自然災害対応の原理が働かないのです。日本の災害対応の基本型は、市町村が第一主体となり、その被災地に都道府県が支援し、その都道府県を国が支援するという形です。感染症対応はまさにこの逆の対策が求められるわけです。災害対応のしくみからすると、この点が最も大きな違いといえるかもしれません。

自然災害対応との違い（3）　市町村レベルで何ができる？

3点目は、法制度上の違いです。日本の危機管理や災害対策の制度は、「何が原因で起きたのか」によって分けられています。社会を混乱させる危機事象でも、地震・水害などの場合と原子力災害の場合、さらに新型感染症、テロ、それぞれ扱いが違い、国と地方自治体に与えられる権限や責任も異なります。ここで自然災害の場合は、災害対策基本法が核となり、大小さまざまな災害時にこれを用いて市町村、都道府県、国が災害対応にあたります。国では主に内閣府が中心となります。ところが、感染症災害はこの災害対策基本法で指定している「災害」には含まれていません。法制度の詳しい説明は他の章に譲りますが、今回の新型コロナ感染症災害を、地方自治体は、いつも扱う災害法制度ではなく、他の法制度で扱わなければなりませんでした。感染症は、通常、病院や医療を扱う厚生労働省が扱いますので、今回の感染症の危機管理も最初の段階は厚生労働省が行っています。自然災害で行うことができるしくみや権限が、今回の感染症災害では即座にできないという場面が発生し、国と地方自治体との調整や地方自治体内での独自策の検討など、非常に組織運営で難しい状況がありました。

マイクロゾーニング危機対応

自然災害比較を通じて今回の感染症災害が、われわれ社会や地方自治体組織で対応する上で非常に難しい状況に置かれていることが理解できたかと思います。まとめると、危機としての時間があいまい、危機としての空間領域があいまい、危機対応の法制度があいまい、という特徴から、日本社会にとって、特に地方自治体にとっては自然災害とは異なる危機管理が求められるわけです。ただ、やはり感染症という特性も危機管理に大きく影響を及ぼしています。

今回の感染症災害において、何を目標に対策を行っているかと考えると、「感染者数を最小化、できれば0にする」「感染者数0を継続する」ことに帰着します。日本国内で「感染者が0になり、0の状態を継続する」ためには、各都道府県で0を目指し、そのために市町村で0にする、となります。このように目標を達成するために領域設定（ゾーニング）がされます。感染症の場合は一般的には保健所管轄が集計上最小単位となりますので、中核市以上の都市および都道府県が領域となります。また社会的な対策を踏まえた現実的な領域は都道府県となります。

この一定の領域内で実行される予防的対策（0を維持する）も、対応対策（処置し、最小化し、0を目指す）も、先に述べたように感染症は空間的障壁をものともしない災害なので、人間社会側で障壁を作らねばなりません。究極的には、人の行き来を止める、つまり社会活動を止めることになりますが、それは自領域で自立的に生活することと同意です。さらに、対応対策においては、感染症患者について、領域をさらに極小化し、他への感染を防ぎつつ、処置し、回復させることになります。この時の対応資源も、周りから求めることはできないので、領域内の資源で行うことになります。危機事象であるほど、領域を狭くして、その中の資源で対応しなくてはならないわけです。しかし、領域内の資源には一定の上限があります。それを越えるといわゆる「医療崩壊」が発生し、被害がインフレーションすることになります。

日本の国・地方自治体の災害対応は、被災地を被災地ではない所が支援する、つまり空間的に関係領域を広げて、被災地に被災地外から資源投入するしくみで成り立っています。これを組織がマネジメントすることを危機管理と呼んでいました。しかし、感染症災害はこのしくみが成り立ちません。境界を小さく区切り、その領域内で危機事象を対処するというマイクロゾーニング危機対応になっています。本来感染症災害とは、空間境界がないので上位機関のトップダウン型指揮が求められますが、日本の対応はそれほどトップダウンではなく、都道府県や政令市レベルにおいて、あいまいな法制度の権限のもとで、できるかぎりの方策を右往左往しながら実施している、という状況に見えるというのが現状です。対応主体や組織のヒエラルキー構造は自然災害と変わらないように見えますので、現場での苦労は相当のことと察します。

国の「緊急事態宣言」はどうだったのか?

国が中心となってトップダウン型の対策を実行したものとして、改正新型インフルエンザ等対策特別措置法に基づく4月の「緊急事態宣言」の発令があります。この宣言の前にも、いくつかの地方自治体では独自に「緊急事態宣言」を出していますが、国の宣言は法制度にのっとったものですので、行政政策としてはより強い宣言となります。当初は一部自治体だけでしたが、最終的には全都道府県に向けて発令されました。この「緊急事態宣言」のもたらした功罪については、さまざまな議論がなされていますが、危機管理という視点から整理してみたいと思います。

緊急事態宣言発令時に使われた言葉として「ピークシフト」というものがありました。この宣言により社会活動を低下させ人の流動を抑えたわけですが、それは決して「新型コロナウイルス撲滅作戦」ではなく、当初から感染者数のピークを下げ、ずらし、なんとか保有する医療資源の中で対応する、というものでした。「感染者数の急増が医療崩壊を招き、その結果死者が級数的に増加するシナリオ」を回避する戦略ともいえます。このことは、今回のウイルス感染症は、まだ不確定な要素が多く、長期化することが予想され、波がなんどもくると考えられるので、そのたびに乗り越えていくための時間稼ぎ、という側面も含んでいます。第1波で時間かせぎをして、第2波・第3波時には対応可能な医療体制の強化、社会体制の準備を迅速に進める、ことが危機管理の思考といえます。

結果的には、欧米各国のような大規模な医療崩壊状況は起きず、なんとか1カ月を過ぎ、緊急事態宣言は解除されました。危機管理というのは、結果がよければよし、という面がありますので、今回の対応は評価できる、という判定が妥当かと思います。ただし、医療崩壊は回避できたものの、次なる波は来ると考えているので、この期間で国や地方自治体はその準備ができたのか、第1波より大きな波が来たときにピークアウトしないようなしくみや体制は考え始めているのか、というと、多少疑問が湧いてきます。そう考えると、解除後の時間こそが大事なのかもしれません。

他の国に比べると、行っている対策が厳しいわけでもなく、効果的な策があったわけでもありませんが、被害は国際的に最小に抑えられているグループとされています。何かしらの非常に幸運な結果だったのかもしれません。そうならば「緊急事態宣言」の解除は、決して「危機」の終わりではなく、長く続くゆるやかな危機管理・危機対応の始まりと社会全体が認識しなければいけませんし、国・地方自治体も危機管理モードを継続し、可能な限りの準備が求められます。

都道府県の危機対応はどうだったのか？

これまで述べたように、現状の感染症災害の危機管理の主体組織は都道府県となっています。その対応の特徴的だった点を挙げると、緊急事態宣言発令前後の都道府県の対応時に、危機管理の鉄則である「状況認識の統一」と「目標による管理」が見られたことを挙げたいと思います。

新型コロナ感染症は、都道府県単位でいえば、全員被災者、すべて被災地です。感染者数をコントロールするという点からして、市民も対策実行者となります。この場合、個人個人がいろいろな情報でいろいろな認識を持って行動、対策をしてしまうと、全体でうまく進みません。また、不必要に危機を煽っても対策の実効性が低下してしまいます。実際には、市民だけでなく、民間企業、店舗、学校等あらゆる組織と協調を図ることが求められます。強制的な指揮命令権がない以上、自らの組織がどのような状況になっているかをわかりやすく説明し、全員で共有することと、わかりやすい目標を提示することで、これも共有し、地域全体で取り組む形を作り上げることが重要になります。

今回いくつかの地方自治体では、独自の指標を設定し、状況をモニタリングして評価しており、それをわかりやすく市民に開示しつつ、共有する目標も含めて首長自身が公表する場面がありました。単なるパフォーマンスに見えたかもしれませんが、危機事象の情報が不確定で、次の展開も不明な中、社会全体の協調のしくみをつくることは、首長の非常に重要な役割なのです。どちらかというと、世界各国の感染症対応は、このアプローチが普通であるように感じた人も多いのではないでしょうか？

"informed"の「ひと呼吸」を——予測の数値に一喜一憂しないために……………菅原慎悦

ポイント

・予測シミュレーションの数値と現実とを比べて「当たった／当たらない」と一喜一憂するのは危うい。
・原発事故でも新型コロナでも、予測計算が「条件付き」であることが置き去りにされてしまった。
・予測結果を政策に直結させるのではなく、"informed"の「ひと呼吸」を置いて、賢く使いこなすことが重要だ。

思い出される10年前

２０２０年の初春から数カ月間の、次第に高まる危機感とともに、どこか非現実的でふわふわとした感覚を思い返すとき、福島原発事故後の混乱の日々が頭をよぎります。低線量被曝（ひばく）について「安全派」と「危険派」の専門家が新聞やＴＶで論争を繰り返し、シーベルトやベクレル、実効線量や等価線量など、放射線にまつわる言葉が日常的に飛び交った、あの10年前の危機の日々。今回も、連日多くの専門家が登場しては異なる主張を闘わせ、「ＰＣ

R検査」や「実効再生産数」など、平時にはまず耳にしない用語がメディアを飾りました。

私が多くの事物を原子力と照らし合わせて考えてしまうのは、原発事故を目の当たりにした原子力のリスク研究者としての性、逃れられない業のようなものかもしれません。ただ、原子力は良くも悪くも、リスクや不確かなものに関する議論や批判をいち早く経験してきた分野です。感染症や公衆衛生の学問とは無縁だった私ですが、コロナ禍への向き合い方を考える上で原子力の経験が一助となればと思い、筆を進めてみます。まずは、危機時の予測シミュレーションをめぐる論争について、しばし原子力の話にお付き合いください。

SPEEDIは隠蔽された⁉

福島原発事故を受けて激しい論争を招いたものの一つに、SPEEDI(緊急時迅速放射能影響予測ネットワークシステム)がありました。SPEEDIは、気象データなどをもとにして、事故時に原子炉から放出される放射性物質の拡散状況や、周辺の被曝線量を予測する計算システムです。事故以前は、SPEEDIによるリアルタイム予測を主な根拠として、住民避難や屋内退避などを実施する体制が組まれていました。

ところが、いざ事故が起きてみると、住民避難を決める際にSPEEDIは全く参照されず、予測結果もなかなか表に出てきませんでした。SNSや記者会見の場で「SPEEDIはどこへ行った⁉」という声が高まると、政府はSPEEDIによる予測図を渋々公開します。そのなかには、後から見ると、実際の放射能汚染状況に近いように見える計算結果も含まれていました。こうした経緯から、SPEEDIはちゃんと動いていたにもかかわら

図1　**放射能汚染状況（左図）と SPEEDIによる「逆計算」結果（右図）**

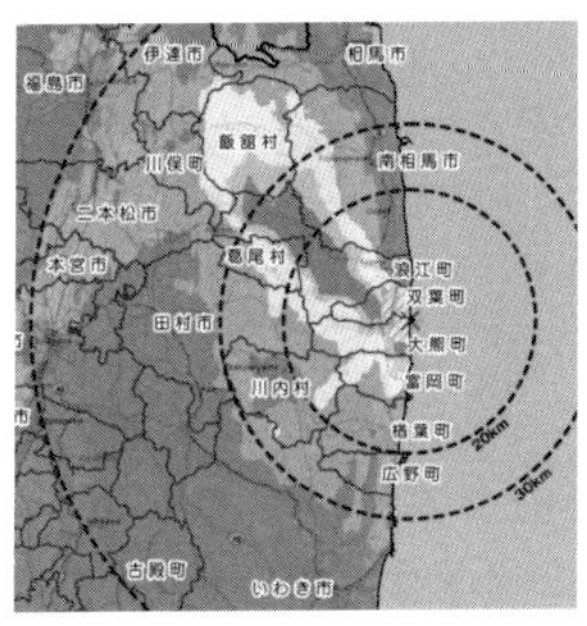

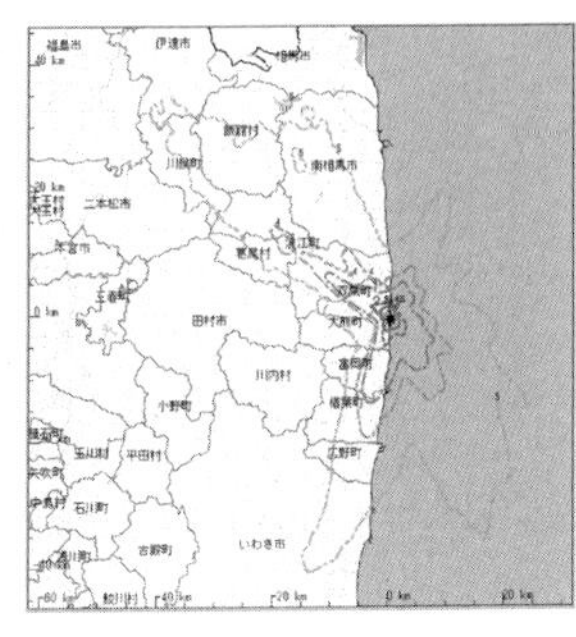

左図出典：文部科学省及び米国エネルギー省航空機による航空機モニタリングの測定結果について
（平成23年5月6日）（※右図と範囲・縮尺を揃えるためにトリミングしてある）
右図出典：緊急時迅速放射能影響予測ネットワークシステム（SPEEDI）の試算について（平成23年3月23日原子力安全委員会）

ず、政府が都合の悪い情報を隠していたのだ、という「情報隠し」の問題として多くの人に認識されていきます。

図1を見てください。左は航空機からの測定結果をもとに地上の放射線量の状況を表現したもので、右はSPEEDIによる計算結果の一つです。たしかに、よく似ていますね。これを見ると、「SPEEDIは動いていたのに政府が隠した」という主張は正しそうに思えます。

しかし実際には、**図1**の右側はSPEEDIによる予測図ではなく、大気中の放射性物質濃度の測定データを基に、事後的に拡散状況を推定した「逆計算」と呼ばれるものでした。これから起こるかもしれない放射性物質の拡散を推定する計算ではなく、起こった結果から過去の放出量や放出時点を逆算して得た図だったのです。言い換えれば、事故発生の最中に将来を予測したものではなく、後になってから過去の状況を再現しようとした図でした。この2つの図が似ているのは、いわば当然なのです。

原発事故の真っ最中にSPEEDIが生み出していた

予測とは、現実には図2のようなものでした。仮に、ある時間に、ある量の放射性物質が放出されたら、という仮定を複数おいて計算したものです。時間ごとの風向きに応じて、放射性物質が流れる方向がクルクルと回っていく様子がわかります。こうした異なる結果を示す図が、SPEEDIからたくさん出力されていたのです。なかには、

図2　SPEEDIによる予測計算結果の一例

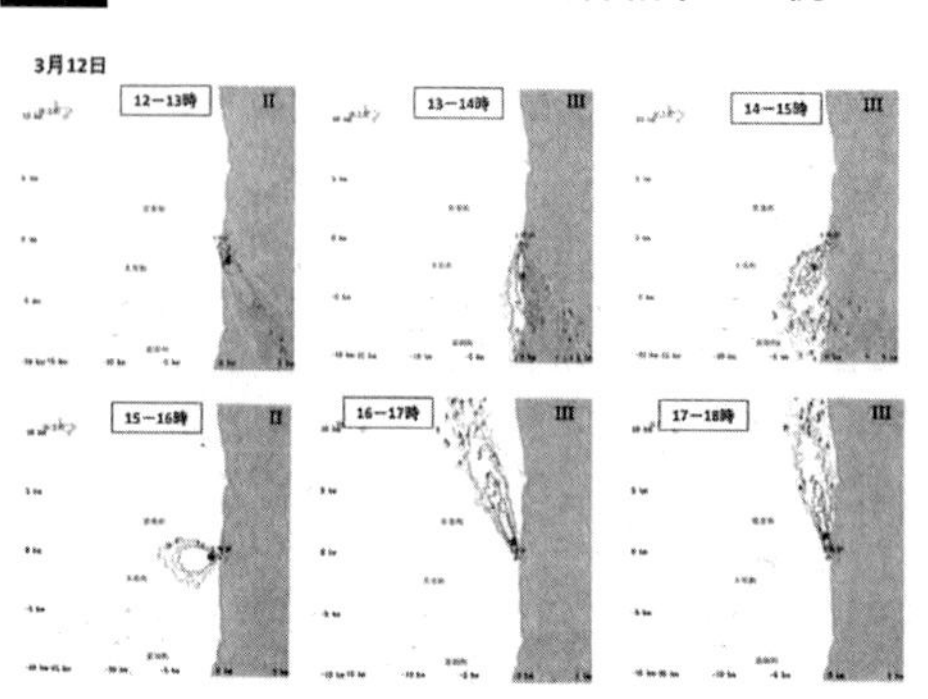

出典：文部科学省「SPEEDIの計算結果の活用・公表について」

原発から北西方向に放射能雲が流れ、実際の拡散状況に近いように見える予測図もあります。しかし、いつ、どれくらいの放射性物質が原子炉から出てくるのか（これを「放出源情報」と呼びます）が不明な状況で、どれが「正しい」予測図なのかは、当時誰にもわかりませんでした。そのため、関係機関の端末にはこのような予測図が数百枚も配信されますが、避難の意思決定には活用されませんでした。どれが「正しい」のかがわからないので、活用のしようがなかった、という方が正確かもしれません。

放棄されたSPEEDI

事故後に行われた公式の事故調査でも、SPEEDIに対する見方が真っ二つに分かれます。例えば、「政府事故調」の「SPEEDIはもっと活用できたはずだ」という立場に対し、「国会事故調」は

「SPEEDIはもともと使えなかったのだ」という評価を下します。それ以降、SPEEDIは激しい論争の渦中に巻き込まれていきますが、事故後に新設された原子力規制委員会は後者の見方をとりました。現在ではSPEEDI関係の予算はカットされ、原発周辺の自治体に設置されていた専用端末も撤去されて、このシステムは万一の原発事故の際にも使われないことになっています。

代わりに登場したのが、「観測可能なパラメータ」に基づく仕組みです。原子炉の圧力がXパスカルになったとか、緊急時の注水システムが起動しなかったというように、予測ではなく観測された現時点の状況をもとにして対応を行います。原子炉の温度・圧力や原発の停電継続時間など具体的な数値基準を予め決めておき、観測データがその基準を超えたら自動的に5km以内の住民に避難をお願いする、といったやり方です。いわば、不確かさの大きな将来予測に頼るのではなく、推測を含まない現時点での情報に基づいて機械的に対策を発動するという形に、大きな転換が図られました。

SIRモデルの登場と退潮

さて、皆さんのなかには、新型コロナウイルスでも似たようなことがあったぞ、と思った人もいるのではないでしょうか。そうです、緊急事態宣言とともに多くのメディアに登場した、感染症流行の数理モデル（SIRモデル）による予測シミュレーションです。

4月7日、7都府県を対象とした緊急事態宣言発令の記者会見で、安倍晋三首相（当時）は「人と人との接触を7

割から8割削減すること」を要請しました。この「接触8割減」の「科学的根拠」とされたのが、西浦博・北海道大学教授（当時）によるSIRモデルを用いた感染者数のリアルタイム予測でした。その計算によれば、人と人との接触を減らす程度に応じて、8割減の場合には感染収束まで約1カ月、7割減の場合は約2カ月かかる、などとされました（図3）。仮に対策を何ら行わなかった場合、国内で約85万人が重症化し、そのうち約42万人が死亡する、との衝撃的な試算結果も報じられました。

図3　SIRモデルによる計算結果の一例

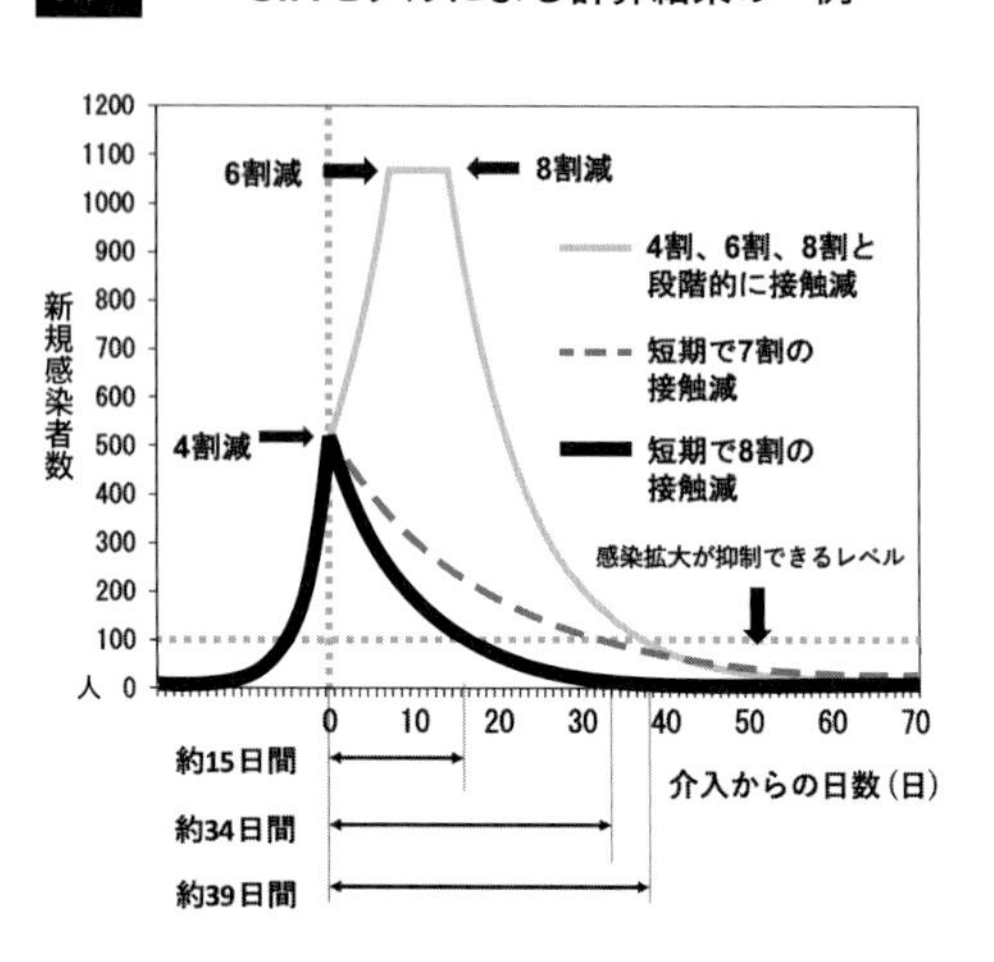

出典：厚生労働省新型コロナ対策班のツイッターより作成
※引用に際し線種を変更しました

　こうして、感染を短期に収束させるには8割減が必要だというロジックが、緊急事態宣言の根拠として使われます。当時、緊急事態宣言を出し渋っていた政府を、SIRモデルという「科学」がせっついたのだ、と受け止めた人もいたことと思います。

　このように、感染症対策を支える「科学」として華々しく登場したSIRモデルでしたが、その後、激しい論争に巻き込まれていきます。西浦教授は、自身の予測に関する解説を精力的に発信していきますが、そのなかで、数理モデルの重要なパラメータを敢えて「厳しめ」に見積もったことが明らかにされます。例えば

Buzzfeedのインタビュー（4月11日）では、同教授が夜の繁華街でガールズバーの呼び込みを受けた体験から、いわゆる「夜の街」における感染拡大の危機感をもとに、「再生産数」（1人当たりが生み出す二次感染者数）の値を念入りに設定した、とのエピソードが語られました。

これに対して一部のネットメディアや週刊誌では、「8割」は西浦教授の個人的な危機感や政治的思惑に影響されたものではないか、それは科学者としての役割を超えているのでは、といった批判が起きました。そして、政府の対応が生ぬるいと考える人たちと、厳しすぎると捉える人たちとの間で、感染者数予測やその意味をめぐり論争が激化していきます。

こうして論争の的となったSIRモデルは、徐々にその登場頻度が減っていきます。代わって注目を浴びたのは、「大阪モデル」をはじめとする、状況判断のための指標と基準でした。「大阪モデル」は、名前こそ「モデル」と名乗っていますが、数理モデルに基づく将来予測ではありません。新規陽性者数や病床使用率など、現在の状況を表す複数のモニタリング指標から成っています。日々報告されるこれらの指標が、予め決めてある基準値を超えたら黄信号や赤信号、下回れば青信号を機械的に点灯させ、その色に応じて大阪府としての対策を発動させる仕組みです。こうした動きは東京都など他の自治体にも波及し、政府もまた表立ってSIRモデルに言及する場面が無くなっていきました。

感染状況がひとまず落ち着いた2020年6月頃になると、緊急事態における政府の対応や科学者・専門家の役割を振り返る動きが出てきます。SIRモデルによる予測計算も例外ではなく、様々な検証にさらされます。6月時点では新型コロナで亡くなった方は1000人に達していませんでしたから、「42万人死亡」という数値と比べ、こんなに大きく外れた予測なんて当てにならない、西浦教授は過剰に恐怖を煽ったのではないか、という激しい論調も見られました。

予測が「当たった／当たらない」

原発事故でも新型コロナでも、数理計算による予測結果が、いったんは意思決定の「科学的根拠」として重視されるも、その妥当性をめぐる論争が起き、次第に表舞台から消えていくというプロセスが共通しています。その際、予測が「当たった／当たらない」という点に、議論の焦点が当たりがちです。

なるほど、ＳＩＲモデルの予測した「42万人死亡」と、現実の「１０００人弱」（これを書いている２０２０年11月末時点では２０００人を少し超えました）とでは、非常に大きな開きがあります。では、予測は「当たらなかった」、だからＳＩＲモデルは無意味だ、と結論付けてよいものでしょうか。

リスク学や規制影響評価の分野では、「もし政策を実施しなければどんな世界になるか」を仮想的に考えることを、「ベースライン」と呼んでいます。「何もしない」場合の試算など無意味だと思われるかもしれませんが、ある政策を実施した場合の状況と「ベースライン」とを比較することは、当該政策の効果をなるべく客観的に測ろうとする際には有用です。したがって、「ベースライン」の評価結果はそもそも「当たる」はずのないものですし、「当たった／当たらない」でその有用さや妥当さを判断するのは筋違いということになります。

ＳＩＲモデルの「42万人死亡」には、「何も対策を取らなかった場合」という条件が付いていましたが、これはまさに「ベースライン」の考え方そのものです。本来ならば、対策をとった場合の感染者数や死者数を複数パターン計算し、「ベースライン」と見比べながら、各対策の効果や影響を検討するために使うものと言えます。

しかし現実には、そうした対策効果を比較するための、いわば現実により近い予測は話題に上らないまま、「ベースライン」の数字ばかりが独り歩きしました。実際、西浦教授が「8割の接触削減が実現した時に想定される死亡者数も公表することを検討」（毎日新聞2020年4月16日朝刊）との報道もありました。しかし、その後の全国紙の報道を色々探したのですが、そのような試算結果を明示した記事は見当たりませんでした。もしかすると何らかの形で公開されていたのかもしれませんが、少なくとも「42万人死亡」と同程度には社会的に広まっていないと言えそうです。このことも、「予測が大きく外れた」という社会的な評価に一役買ってしまった可能性があります。

原発事故とSPEEDI、新型コロナとSIRモデル、この2つの事例からは、予測計算により得られた数値や図形が現実の状況と近いように見えるかどうかで、予測の妥当性や意義を即断してしまうことの危うさが見えてきます。

では、「予測」の数値や地図に一喜一憂しすぎないために、私たちはどうすればよいでしょうか。まずは、予測シミュレーションとは実際のところどのような営みなのか、科学の「内側」に少しだけ立ち入ってみたいと思います。

語られない「条件付き」

私は数年前、社会学者の寿楽浩太・東京電機大学教授とともに、SPEEDIの事例について、多くの関係者にインタビューをして回ったことがあります。その結果、「SPEEDIは使える派」の筆頭であるSPEEDI開発者と、「SPEEDIは使えない派」最右翼の原子力防災専門家とが、ある一点で同じ認識を持っていることを見いだしました。それは、「計算予測の結果を活用するには非常な注意を要する」、言い換えれば、「予測結果そのものが確からしい未来の様子を示すわけではない」という点です。

例えば、前述の「放出源情報」はSPEEDIの計算に不可欠ですが、その推定には相当に大きな不確かさを伴います。ある仮定をおいて計算すること自体は可能ですが、残念ながら、人の命を左右する避難の判断に直結させられるほどの確からしさは望めないのです。ちょっとややこしいのですが、SPEEDIは、「仮に、ある時刻にある量の放射性物質が放出されたら」という与えられた計算条件下での拡散の様子は、ある程度の確からしさをもって予測できます。しかし、その前提となる計算条件に大きな不確かさがあれば、計算結果も十分に確からしいものにはなりません。

つまり、どんなに高度なモデルを組み、どんなに高性能なコンピュータで計算しようとも、予測シミュレーションというのは常に「条件付き」の結果しかもたらさないのです。これは決して、予測とは無意味だ、ということではありません。ですが、「条件付き」の予測結果を上手に役立てるためには、予測に伴う不確かさが私たちに重大な不利益をもたらすことにならないよう、専門的な知識や経験に裏打ちされた「賢慮」が求められることになります。

ところが、こうした「条件付き」という性質は、原発事故が起きるまでは明示的に語られず、事故の際に影響を受けるであろう関係者にも認識されていませんでした。私たちのインタビューでは、万一事故が起きたとしても、SPEEDIが避難の範囲や方向を教えてくれるからそれに従えばいいのだ、といった認識を当時の実務者たちが抱いていたことが強くうかがわれました。ＳＰＥＥＤＩの予測を適切に活用するための「賢慮」の必要性そのものが見過ごされ、「できもしない使い方」を前提としてＳＰＥＥＤＩが防災体制に組み込まれていた点に、そもそもの問題があったのです。

しかも残念なのは、事故が起きた後も、この点にどう向き合うべきかという議論はほとんど深まらないまま、「使えたはず」「いや、最初から使えなかったんだ」という二極化した論争が続き、最終的には技術の利用自体を放棄する結末を迎えたことです。インタビューした専門家の中には、「あなた方の意見はわかるが、そうした『賢慮』は、現実の体制・予算・人材などを考えると無理だ」という見解を示した人もいて、ＳＰＥＥＤＩを使いこなせるだけの「賢慮」を私たちが具えることに対する諦めのようなものさえ、見え隠れしました。

同じことが、ＳＩＲモデルにも言えそうです。ＳＩＲモデルが生み出す感染者数予測は、「再生産数」や「異質性」をはじめとした複数の条件を前提とした場合の、あくまで「条件付き」の予測結果です。例えば、「再生産数」を導くには統計学的な推定が必要ですが、感染症の流行が拡大しつつある最中にリアルタイムで予測を行う場合、この推定に伴う不確かさがどうしても大きくなります。そのため予測結果を表現する際には、「信頼区間」などの形で不確かさを明示した上で、細心の注意を払って結果を解釈することが求められます。

ところが、今回はそうした「条件付き」の部分が明確に語られないまま、一つの予測結果が「接触８割減」という政策にそのまま反映されたように見受けられます。ＳＩＲモデルによる予測を適切に活用するための「賢慮」がちゃんと働いたのかどうかも、今後の検証次第ですが、少なくともこれまでは明らかにされていません。そして、予測が「当たらなかった」という社会的な見方が強まるなか、「賢慮」をいかに働かせるかという議論が深まることなく、SIRモデルもまた放棄される道をたどっているように思われます。

「7割」VS「8割」論争

また、これもSPEEDIとSIRモデルの両方に当てはまることですが、事態が生じたばかりの時期には、リアルタイム予測を行うためのデータが足りないのが通常です。それでも計算を進めるためには、推測や判断によって不足を補う必要があります。いわば、分析者の「主観」が多分に入り込まざるを得ないのです。見方を変えれば、予測の目的に照らして、その「主観」をいかに上手に入れ込むかという点に、科学者や専門家の腕の見せ所があるとも言えます。「条件付き」を明示することは、この「主観」の程度や混じり具合を誠実に表現するということを意味します。

2020年4月の初め、政治サイドから出てきた「最低でも7割減」に対し、西浦教授は、科学的な見地から「8割減」は絶対に譲れないとの姿勢をとりました。おそらく、数式と格闘している研究者としては、8割は厳しすぎるから、ちょっと1割まけてくれというような性質のものじゃないぞ、という思いがあったのでしょう。多くの研究者は、わずかな条件の違いが何倍、何十倍もの結果の違いを生む場合があることを、肌身で知っています。私も研究者の端くれとして、悲憤慷慨したくなる気持ちはよくわかります。

他方で、この「7割」VS「8割」論争は、SIRモデルは科学的な「正解」を示してくれるのだ、という社会的な受け止め方を促したようにも思います。実際、当時の政権の対応が緩すぎると考える立場からは、予測モデルが「科学的」に導き出した答えを「政治的」に妥協するとはけしからん、といった批判が多く出されました。しかし、この論争からは、予測があくまで「条件付き」であること、そして結果を解釈したり活用したりする上で「賢慮」が必要だということが、置き去りにされています。

誰も歓迎しない「条件付き」

「条件付き」の知識を「賢慮」とともに活用するよりも、「科学」が示すものを「確実な答え」として扱う方が様々な立場にとって好まれるのは、なにも日本に限ったことではないようです。イギリスの哲学者バートランド・ラッセルは、「人が本当に求めるのは、知識ではなく確実性だ」(What men really want is not knowledge but certainty)との言葉を残しています。

予測を行う科学者や専門家は、自分の計算結果を何とか社会に役立てたいと考えます。そこで、政策の立案・決定過程に知見を盛り込もうと努めるのですが、現実にはなかなか一筋縄ではいきません。官僚組織の動きが鈍かったり、政治家がなかなか理解してくれなかったり、別の専門家が真逆の主張をしたり……と、様々な壁が立ちはだかります。そのうち、いちいち「条件付き」を示すことが、次第にじれったく思えてきます。政治や行政の荒波のなかで何とか影響力を発揮しようと、いきおい、自分の科学的知見を多少なりとも「強め」に主張することになりがちです。

政治や行政の意思決定者の側にも、「条件付き」を表沙汰にしたくない動機があります。感染症対策のような問題は、否応なく激しい論争を巻き起こします。当たり前ですが、命や健康は大事です。同時に、「たかがお金」と達観できない私のような世俗的人間にとっては、お金もやっぱり重要です。このように、守るべき価値が複数あり、あちらを立てればこちらが立たずという状況―これを「価値の相剋(トレードオフ)」と呼ぶことにします―にあるとき、どんな意思決定をしても、必ず多くの批判に直面することになります。

こんなときによく使われるのが、「科学的に決めました」という常套句です。科学的に正しい答えが一つに定まり、政治家はそれにハンコを押すだけ―ハンコの比喩も使えなくなりそうですが―という図式になれば、何かあったときの責任は「政治」の側ではなく「科学」の側にあるのだ、と言い逃れしやすくなるのです。私はこれを批判的に「意思決定の自動化」と呼んでいますが、こうした図式を求める意思決定者にとって、「条件付き」は厄介な邪魔者です。「条件付き」ということは、答えが一つに定まらない、つまり意思決定を自動化できないことになり、政治家が自分の責任で判断しないといけなくなるからです(本来はそうあるべきですが)。

さらに、一般の人々からの期待も、「条件付き」を表面化させない方向に棹差している可能性があります。日本を含む多くの国では、政府や政治家への信頼が低下傾向にあります。「政治」への失望が深くなるほど、それと対極に位置するように見える「科学」への期待が大きくなりがちです。有権者へのアピールや政治家個人のメンツといった、現実社会の様々なしがらみにどっぷり囚われているのが「政治」だとすれば、そんなものとは無関係に数式やコンピュータが「客観的な答え」を打ち出してくれるのが「科学」だ、多くの人がそんなイメージを抱いているように思います。

新型コロナのように難しい問題であればあるほど、政治家の経験や勘よりも、「科学」に基づいて「客観的」「中立的」な政策を、と考えがちです。私自身もゼミの学生たちと一緒に新型コロナの新聞報道を分析してきましたが、専門家は「客観・中立の立場から誠実に分析や提言を行う」べき存在として、しばしば期待を込めて描かれます（朝日新聞2020年6月5日朝刊）。

もちろん、「科学」を踏まえて対策を講ずることは不可欠です。アメリカのトランプ大統領（当時）のように、科学的知見をまるで無視するような態度は、少なくとも日本では多くの人が歓迎しないでしょう。しかし、「客観的」「中立的」な「科学」のイメージが強まるほど、「条件付き」の知見を「賢慮」とともに活用する方向から遠ざかり、「科学」が示してくれる「確実な答え」を意思決定に直結させよう、という力が働きやすくなります。

"-informed" の「ひと呼吸」を

では、「予測」の数値や地図に一喜一憂しすぎないために、「条件付き」の知見をうまく使いこなすために、私たちはどうすれば良いでしょうか。またしても原子力の経験から、"-informed" という考え方を紹介し、本章を締めくくりたいと思います。

原発のリスクを定量的に評価する手法の一つに、「確率論的リスク評価」（PRA：Probabilistic Risk Assessment）があります。事故シナリオをできるだけ体系的・網羅的に評価する手法で、技術的な詳細は省きますが、ある原子炉が炉心損傷を起こす頻度（CDF：Core Damage Frequency）が1万炉年当たり1回程度だ、といった計算結果が得られます。PRAから得られるCDFのような数値と、何らかの定量的な判断基準とを直接比較することで、安全を「客観的」に見極めようという考え方があり、これを〝risk-based〟なアプローチと呼びます。一見すると、「科学的」なリスク評価以外の雑音が入りにくく、誰の目にも明らかな形で安全か否かを示せるようにも見えます。

　ところがPRAは、SPEEDIやSIRモデルのように危機時にリアルタイムで行う予測とは異なりますが、その活用にはこれらと同様の「賢慮」が要求されます。PRAの計算過程には分析者の判断や推測が多く入り込みますし、結果には様々な不確かさが付きまといます。例えば、そもそも評価の対象になっていないシナリオは、当然ながら結果の数値には含まれません。福島原発事故前の日本では、機械の故障や運転員の操作を発端とするシナリオはそれなりに計算されていましたが、地震や津波などの自然災害を発端とするシナリオは、明示的には評価されていませんでした。

　こうしたPRAの現実を踏まえると、出てきた数値を判断基準と単純に比べて○×をつける〝risk-based〟なアプローチは、いかにも危うく見えます。実際、PRAの扱い方については多くの議論があり、PRAを安全の判断に直結させるのではなく、リスク評価と意思決定との間に「ひと呼吸」置く〝risk-informed decision making〟(RIDM)という考え方が確立されてきました。RIDMでは、PRAの不確かさに鑑みて、意思決定に当たっては必ず他の様々な考慮事項(例えば、PRAの登場前に主流だった決定論的評価など)と組み合わせた上で活用すること、とされています。このように注意深く扱って初めて、原子炉の安全を総合的に把握したり、脆弱な点を見つけたり、複数の対策案の効果を比較したりと、PRAの様々な利点を発揮できるのです。つまり〝-informed〟とは、PRAが「条件付き」であることを踏まえて、「賢慮」とともに使いこなすための枠組みと言えるでしょう。

同様に、感染症の数理予測もその数値を政策に直結させるのではなく"-informed"の「ひと呼吸」を置くことが重要です。新型コロナによって、身体のみならず社会全体が呼吸困難に陥らないために、文字通り「ひと呼吸」すること―その仕組みが"-informed"と言えるでしょう。これは、一つの予測結果に踊らされずに、その背後にある種々の仮定や計算条件、専門家による推測の度合いなどを明示しながら、「賢慮」とともに「科学」を活用していくことを意味します。

特に、前述のような「価値の相剋」を伴う政策問題に対しては、それを覆い隠すために「科学的に決めました」という言い方が使われがちです。"-informed"の考え方は、「科学」が特定の政策を直接指し示すのではなく、「条件付き」であることを強調して、むしろ政治的な判断とその責任を際立たせることになります。日本ではしばしば責任の所在不明が問題になりますが、"-informed"には意思決定者の責任を否が応でも明確にする作用があります。

もっとも、ＰＲＡが１９７０年代から開発・活用されてきたアメリカでも、"-informed"の考え方が根付くまでには長い時間がかかりました。50年近く経った今でも、未だＰＲＡを適切に使いこなすに至っていないとの意見もあります。福島原発事故後、日本でもＰＲＡの重要性が強調され、"-informed"を目指そうとしていますが、この理念を具体化する上では様々な課題もあります。将来予測やリスク評価の計算科学技術の発展は著しいですが、それを私たちがうまく使いこなすためには、社会としての知恵が必要です。本章で採り上げたＳＰＥＥＤＩとＳＩＲモデルの例は、私たちがその知恵を十分に練れていないことの証左かもしれません。

ちなみに"-informed"ですが、よい日本語の表現がなかなか見当たりません。原子力分野では、ＲＩＤＭを「リスク情報を考慮した意思決定」と呼んでいますが、何ともぎこちない訳です。日本語でしっくりくる言葉がないということは、その概念を日本社会が消化しきれていないことの表れとも言えます。明治初期、数多くの西欧由来の概念に日本語を当てた人物として西周（にしあまね）が有名ですが（「科学」という語の普及にも一役買っています）、どなたか令和の西周になって、"-informed"に当たる表現を創り出してくれることを望みつつ、本章を終えたいと思います。

謝辞：本稿執筆に当たり、東京電機大学・寿楽浩太教授から有益な示唆をいただきました。ここに御礼申し上げます。本研究の一部は、ＪＳＰＳ科研費２０Ｋ００２７７の助成を受けました。

第6章

ポストコロナ・世界経済の行方

関西大学商学部　教授

小井川広志(おいかわ・ひろし)

1965年、東京生まれ。北海道大学農学部卒、神戸大学大学院経済学研究科修了。博士(経済学)、M.Phil(Management Studies, University of Cambridge)、D.Phil (Development Studies, University of Oxford)。専門は、開発経済学、東南アジア地域研究。発表論文として「マレーシア・パーム油産業の発展と資源利用型キャッチアップ工業化(アジア経済56-2)」など。

関西大学総合情報学部　教授

地主敏樹(ぢぬし・としき)

兵庫県生まれ。神戸大学経済学部卒業。ハーバード大学大学院修了(Ph.D in Economics).。関西大学総合情報学部教授。神戸大学名誉教授。アメリカの金融政策を中心に研究し、金融論やアメリカ経済論およびマクロ経済学などの講義を担当してきた。阪神淡路大震災の経験から、災害の経済的影響や復興政策も調べている。

東南アジアの新型コロナ事情―世界経済復興の核となるか……………………小井川広志

ポイント

・東南アジアの一部の国々では、新型コロナ感染の抑え込みにある程度成功している。
・これは、早期の徹底した封じ込め策が奏功したことが理由だが、外国人労働者への対応など、各国が共通に抱える問題も顕在化した。
・東南アジア地域が、中国経済に牽引される形で、ウィズ&ポスト・コロナの世界経済の成長軸となっていく可能性がある。

はじめに

２０２０年、世界は新型コロナウイルスに翻弄された一年になりました。日本でも、大晦日には全国の新規感染者数が４５００人を超え、過去最多を更新して新年を迎えることになりました。年末には、より感染力の高い変異体ウイルスがイギリスで発見され、世界で感染者のさらなる増加が懸念される緊迫した状況が続いています。

そのような情勢の中で、新型コロナ感染の抑制に比較的成功している国・地域がいくつかあります。台湾や中国はその代表格ですが、ここで取り上げる東南アジアの国々の中にも、感染拡大の抑え込みにある程度成功したと

表1　東南アジア主要6カ国と先進国の新型コロナ肺炎感染状況

		マレーシア	タイ	シンガポール	ベトナム	インドネシア	フィリピン
感染者数（累計）（カッコ内）死者数（累計）	20年3月1日	29 (0)	42 (1)	106 (0)	16 (0)	データなし	3 (1)
	6月1日	7,857 (115)	3,082 (57)	35,292 (24)	328 (0)	26,940 (1,641)	18,638 (960)
	9月1日	9,354 (128)	3,425 (58)	56,852 (27)	1,044 (34)	177,571 (7,505)	224,264 (3,597)
	12月1日	67,169 (363)	4,026 (60)	58,228 (29)	1,351 (35)	543,975 (17,081)	432,925 (8,418)
100万人当たり死亡者数（12/31時点）		14.55	0.90	4.96	0.36	80.94	84.36
人口千人当たりのべ検査数（報告日時）		101.71 (12/29)	20.00 (12/18)	927.53 (12/28)	15.10 (12/19)	17.83 (12/30)	57.62 (4/28)

		中国	日本	イタリア	フランス	イギリス	アメリカ
感染者数（累計）（カッコ内）死者数（累計）	20年3月1日	79,932 (2,872)	259 (6)	1,694 (34)	130 (2)	94 (0)	32 (1)
	6月1日	84,154 (4,638)	16,787 (899)	233,197 (33,475)	191,382 (28,837)	258,983 (37,613)	1,814,762 (108,500)
	9月1日	89,933 (4,724)	69,023 (1,313)	270,189 (35,491)	326,264 (30,673)	339,415 (41,592)	6,061,192 (184,858)
	12月1日	92,993 (4,743)	150,976 (2,109)	1,620,901 (56361)	2,285,238 (53,596)	1,647,230 (59,148)	13,791,945 (270,753)
100万人当たり死亡者数（12/31時点）		3.32	26.03	1,226.54	992.19	1,084.50	1,044.51
人口千人当たりのべ検査数（報告日時）		データなし	34.80 (12/28)	434.05 (12/30)	データなし	755.52 (12/28)	722.84 (12/26)

出典：https://ourworldindata.org/coronavirusより。本文中のデータもこれに拠る

ころがあります。この章では、主に東南アジアの4カ国（マレーシア、タイ、シンガポール、ベトナム）のコロナ禍対応を概観し、そこから得られる教訓、ならびに、ウィズ&ポスト・コロナ下の世界経済を展望していきます。

東南アジア諸国のコロナ禍対応

2019年12月、中国・武漢で発見された新型コロナ感染は、瞬く間に全世界へ拡散しました。地理的にも近く、中国と人的、経済的交流が緊密な東南アジアは、感染拡大が最も懸念された地域の一つでした。実際、中国以外の場所で新型コロナの症例が初めて報告されたのはタイでした。2020年1月13日、武漢からの直行便で観光に訪れた中国人団体旅行客の1人に感染が確認されたのです。

このような中国との近接性にもかかわらず、東南アジアの一部の国々は、このウイルスの抑え込みに一定程度成功していると言えます。**表1**は、東南アジア主要6カ国と中

図1　東南アジア主要4カ国新規感染者数の推移（1週間平均）

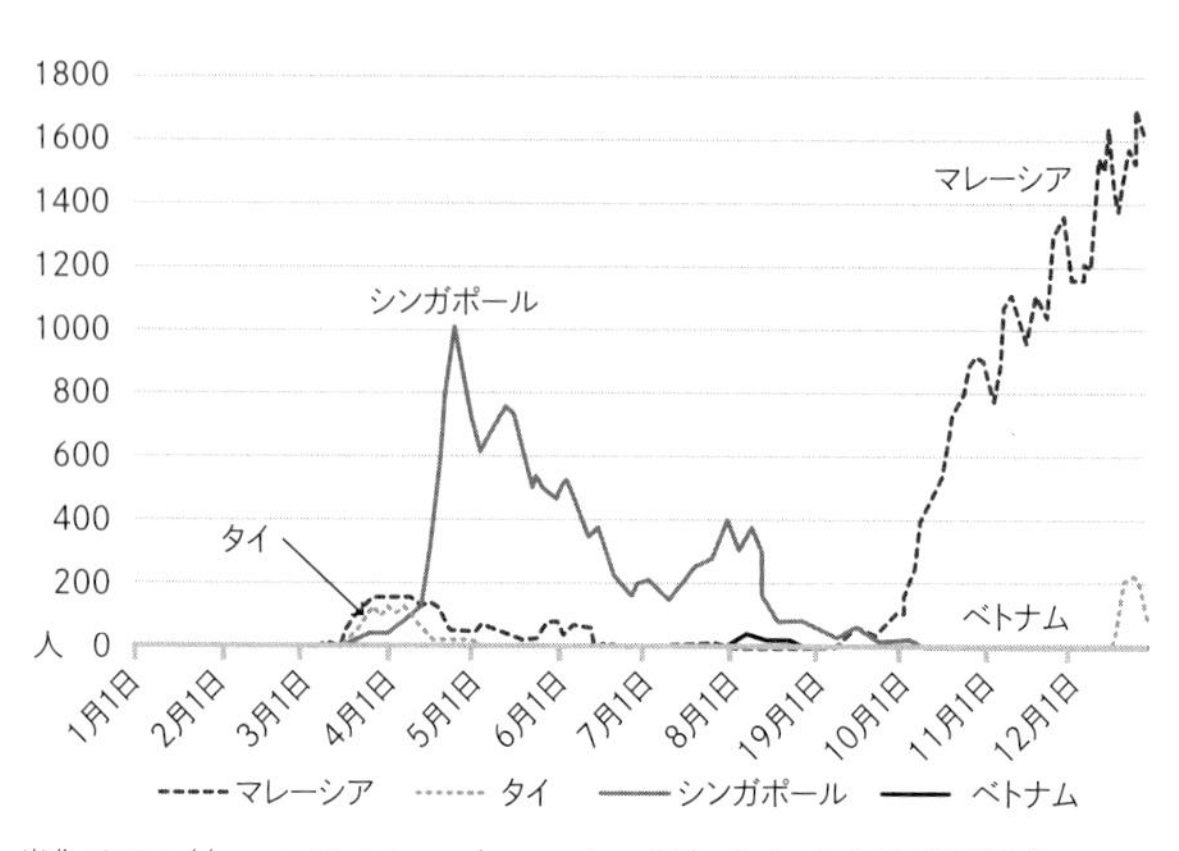

出典：https://ourworldindata.org/coronavirusのデータベースを元に筆者作成

国、および主な先進国の感染者数、死亡者数の推移を3カ月ごとに示したものです。東南アジアの一部の国々では、欧米先進諸国に比較して、感染者数、死亡者数が桁違いに少ないことが、この表から分かります。東南アジア諸国は、一般に先進諸国よりも医療インフラが劣っているにもかかわらず、この差は注目に値するでしょう。

図1、**図2**は、それぞれ、東南アジア4カ国の新型コロナ感染者数、死者数（新規、1週間移動平均）の推移を示したものです。ベトナム以外の3カ国では、3月半ばから感染者数の増加が見られましたが、春先にはピークを過ぎ、その後はマレーシアを除いて大きな感染爆発は起きていません。ウイルスが拡散しにくい熱帯の気候的要因もありますが、日本を含む先進諸国が感染爆発の対応に四苦八苦していることと好対照をなしています。

以下では、マレーシア、タイ、シンガポール、ベトナム4カ国の新型コロナ感染封じ込め策を概観していきます。各国の新型コロナ対応の経験から、教訓や課題を探っていきます。

図2　東南アジア主要４カ国新規死亡者数の推移（1週間平均）

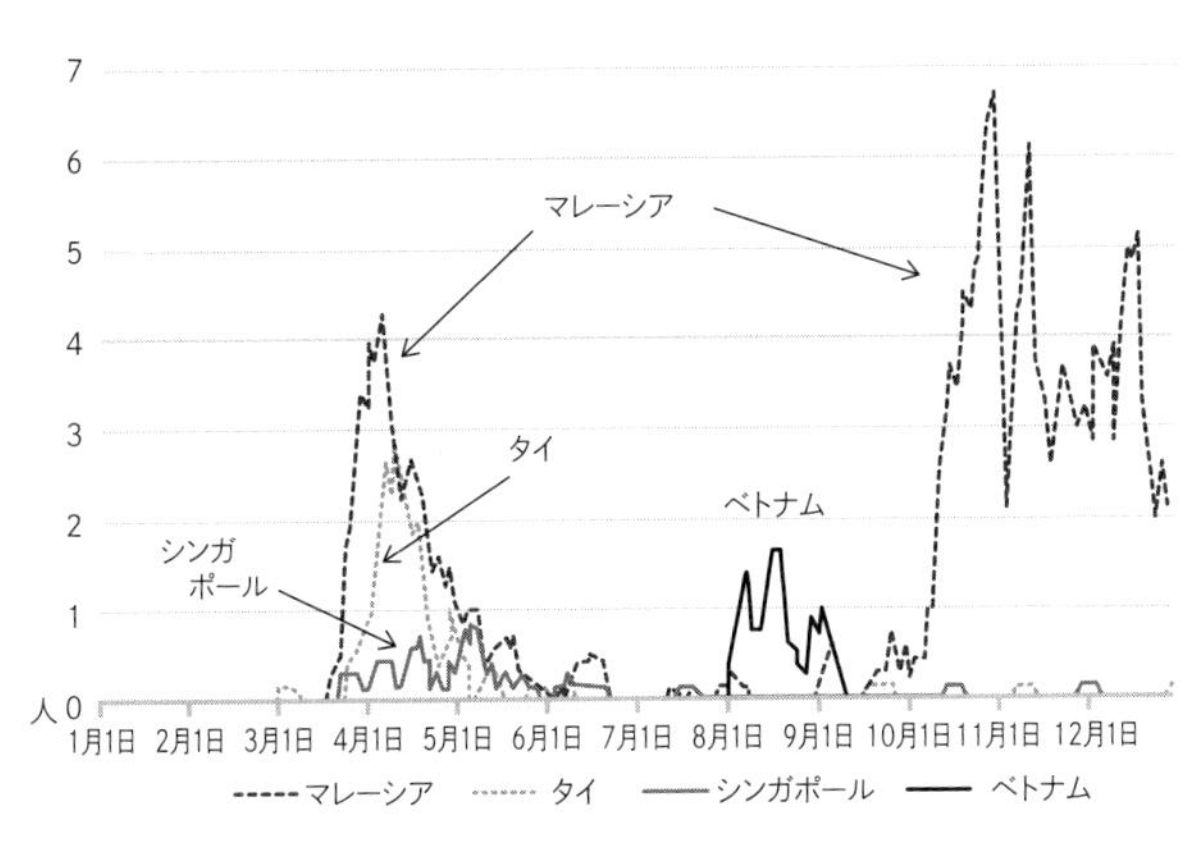

出典：図１に同じ

東南アジアでのコロナパニックを概観してみた

（1）マレーシア

東南アジアにおける新型肺炎の本格的な感染拡大は、マレーシアが発端になったと言われています。２０２０年２月まで緩慢なペースの増加にとどまっていたマレーシア国内の感染者数は、３月初めから急増しました。その契機は、２月末にクアラルンプール郊外で行われたイスラム教の大規模集会でした。１万６千人を超える信者が、典型的ないわゆる「３密」空間で４日間にわたり寝食を共にし、これが集団感染につながりました。

より深刻な問題は、この集会に、ブルネイ、カンボジア、インドネシアなど周辺諸国から多くの信者が参集し、自国にウイルスを持ち帰ったことです。人の往来が活発な東南アジアでは、感染は容易に国境を越えて拡大することが、この事件を契機に強く意識されるようになりました。

図3 マレーシア ロックダウン当日の朝

3月18日、規制線で入場が厳しく制限されたショッピングモールの様子（筆者撮影）

3月18日、マレーシア政府は「活動制限令」を発令しました。その内容は、マレーシア人の出国禁止、外国人の入国禁止、国内移動の制限、礼拝・集会の禁止、政府機関、小・中・高校、大学、企業、工場、レストランの一時閉鎖など、強制力や罰則を伴う徹底したものでした。筆者は、2月末から3月18日まで、たまたまマレーシアに滞在する機会があり、ロックダウン（都市封鎖）の瞬間を目の当たりにしました。飲食店や小売店は、ロックダウン前夜から慌ただしく店じまいを始め、18日当日早朝には規制線が張られ、ショッピングモール内部に立ち入ることが厳しく禁じられました（**図3**）。活動制限によって被る経済的損失に対しては、賃金補助や融資、減税などの支援策が準備されましたが、不十分なものでした。それでも、休業に追い込まれたレストランの行動は迅速で、テイクアウトやデリバリーなどで素早く対応しました。東南アジアではグラブ・フードなどのデリバリーが新型コロナ以前から浸透しており、業態のシフトが容易だったと考えられます。

図1からは、10月以降、マレーシアだけが激しい感染爆発に見舞われていることが分かります。これは、9月に刑務所でクラスター（感染者集団）が発生したことに続き、10月から外国人労働者の働くいくつかの工場で大規模なクラスターが発生したことに起因します。今回のコロナ禍では、外国人労働者の存在がコロナ禍対応のアキレス腱になりました。この点については、後に詳しく見ていきます。

(2) タイ

タイの感染封じ込め策は、当初、入国者の自主隔離を促す程度の緩やかなものでした。新規感染者数も2020年3月半ばまで10人以下にとどまり、厳しい対応をとる必要性も乏しかったと言えます。しかし、感染者が徐々に増加してきたこと、ならびにタイ特有のナイトクラブや格闘技観戦が感染爆発につながりかねないことから、首都バンコクでは、3月18日から学校やスポーツ施設、マッサージ店などの一時閉鎖が決まりました。3月26日には、政府は全土に緊急事態宣言を発令し、子供や高齢者などの外出制限、外国人の入国原則禁止、国境閉鎖、レストランや店舗の閉鎖などが実行に移されました。夜間外出禁止令も出され、違反者には罰金などが科されるという徹底ぶりです。タイの家には台所がない、と言われるほどタイでは外食文化が浸透しているのですが、強制的に店舗を閉鎖された飲食店は、政府からの十分な支援も受けられないまま、苦しい経営状態に置かれることになりました。ここでもマレーシアと同様、テイクアウトやデリバリーで生き残りをかけています。その他にも、厳しい入国制限による海外観光客消滅のダメージは大きく、タイの国内総生産（GDP）の約2割を占める観光関連産業は青息吐息です。実際、タイ国際航空は5月に経営破綻しています。

とはいえ、このような厳格な封じ込め策の甲斐あってか、春以降、タイの感染拡大は数字上は抑えられつつあります。その成果を受けてタイ政府は、段階的に規制を緩めていきました。緩和に伴い、夏以降、バンコクでは、反政府運動や王制改革要求を目的とした大規模集会が断続的に行われるようになりました。そこでの「密」の状態が、12月に入ってからの感染拡大の原因の一つだと言われています。しかし、最近の感染拡大の直接的な原因は、隔離を経ずに不法入国したミャンマー人労働者の間で、1200人以上の集団感染が発生したことでした。タイでも、外国人労働者への新型コロナ対応の不徹底さが感染拡大につながった点は、マレーシアと共通しています。

(3) シンガポール

シンガポールは早い段階から徹底した新型コロナ対策を断行し、世界保健機関(WHO)もその徹底ぶりを称賛していました。捜査員や監視カメラなどを総動員し、感染源や濃厚接触者の徹底した監視・追尾態勢で感染拡大防止を目指しました。感染者には隔離命令が出され、従わなければ罰金が科されたほどです。中国からの渡航禁止も、東南アジア諸国では最も早い2020年1月31日に打ち出されました。このような対応策は、2002〜3年に33人の死者を出したSARS(重症急性呼吸器症候群)の教訓が活かされたものだと言われています。

にもかかわらず、シンガポールの感染者数は4月中旬から急増しました。新規感染者が一日に千人を超える日もあり、4月20日には感染者数がインドネシアを抜いて、一時、東南アジア最多にまで悪化しました。

ここでも、外国人労働者への対応の不手際が感染拡大の原因になりました。急増した新規感染者のうち8割以上は、外国人労働者、中でも建設現場や工場などで働いている低賃金労働者でした。彼らは、ドミトリーと呼ばれる部屋に10〜20人が押し込められ、衛生的なシャワーや満足な医療サービスも受けられない劣悪な環境の中で暮らしています。ここがクラスターの起点となりました。感染者の完全追尾、捕捉、隔離がシンガポール流の封じ込め策の柱でしたが、ノーマークの外国人労働者が感染源となり、感染者数が東南アジア最多にまで拡大したことは全くの予想外でした。

その後、政府は、ドミトリーの隔離、および外国人労働者を対象とするクリニック設置などを進め、4月末をピークに感染のさらなる拡大は抑え込まれています。シンガポールの特徴は、感染者数に比較して、死亡者数が極めて少ないことです。これは、シンガポールの先進的な医療インフラによるものです。

(4) ベトナム

ベトナムは、台湾と並んで新型コロナ封じの優等生と言われています。ベトナムの累計感染者数、死亡者数は、2020年12月末時点でそれぞれ1465人、35人と共に東南アジアで最も少なく、しかも感染者の大半は既に回復しています。感染者、死亡者は、国内で複数のクラスターが発生した8月の1カ月間に集中しており、この月を除けば、新規感染者についてはゼロか1桁止まりの日がほとんどです。中でも特筆すべきは、9月3日以降、2021年1月末現在にいたっても、コロナを原因とする死亡者を一人も出していないという驚くべき成果を挙げています。

このような目を見張るべき新型コロナ封じの成功につながった要因として、第一に、思い切った封じ込め策のいち早い発動が挙げられます。2月3日には都市部の小・中学校の一斉休校と集会禁止が決められ、また同じ時期に、中国からの入国も全面禁止されました。これらは、国内感染者数累計がまだ10人に満たない時点での思い切った措置であったことは注目に値します。第二に、隔離政策の徹底が指摘できます。ひとたび感染者が確認されると、濃厚接触者を追跡可能な限り見つけ出し、政府の管理する施設に隔離しました。外国からの帰還者には、14日間の施設での待機が義務づけられました。6人の集団感染が発生した人口1万人のソンロイ村を、20日間にわたって周囲から完全に遮断するなど、隔離政策はこれでもかと言うほど徹底していました。

このような強力な政策を躊躇無く発動した背景として、2003年に5人の死者を出したSARSの教訓が活かされています。SARSの教訓を活かしたという点では、同じく、徹底した封じ込め策を早くから敢行したシンガポールや台湾の政策と共通するところがあります。

ベトナムの経験から、逆説的ではあるのですが、新型コロナ封じ込めが相当に困難であることも分かります。新型コロナの封じ込めに一定のめどが立ったこともあり、ベトナムでは4月下旬以降、不要不急の外出禁止が緩和され、一部店舗の営業も再開されました。しかし、これが先に述べた8月の感染第2波につながったと言われています。ベトナムのような新型コロナ封じの優等生でも、新型コロナの本格的な根絶は容易ではないことが分かります。

東南アジア各国政府のコロナ禍対応

東南アジア各国の新型コロナ対応政策を概観すると、感染源である中国に滞在経験のある者の隔離、入国制限から始まりました。その後、感染者数の増加に直面して都市封鎖令が発令され、州をまたぐ移動制限、学校の休校、集会の禁止、工場や店舗の操業・営業停止など、封じ込め策はより厳しいものとなっていきました。経済的損失に対する補償は、一部の労働者や企業に賃金補助、現金給付、減税、低利つなぎ融資など、あくまで限定的、付け焼き

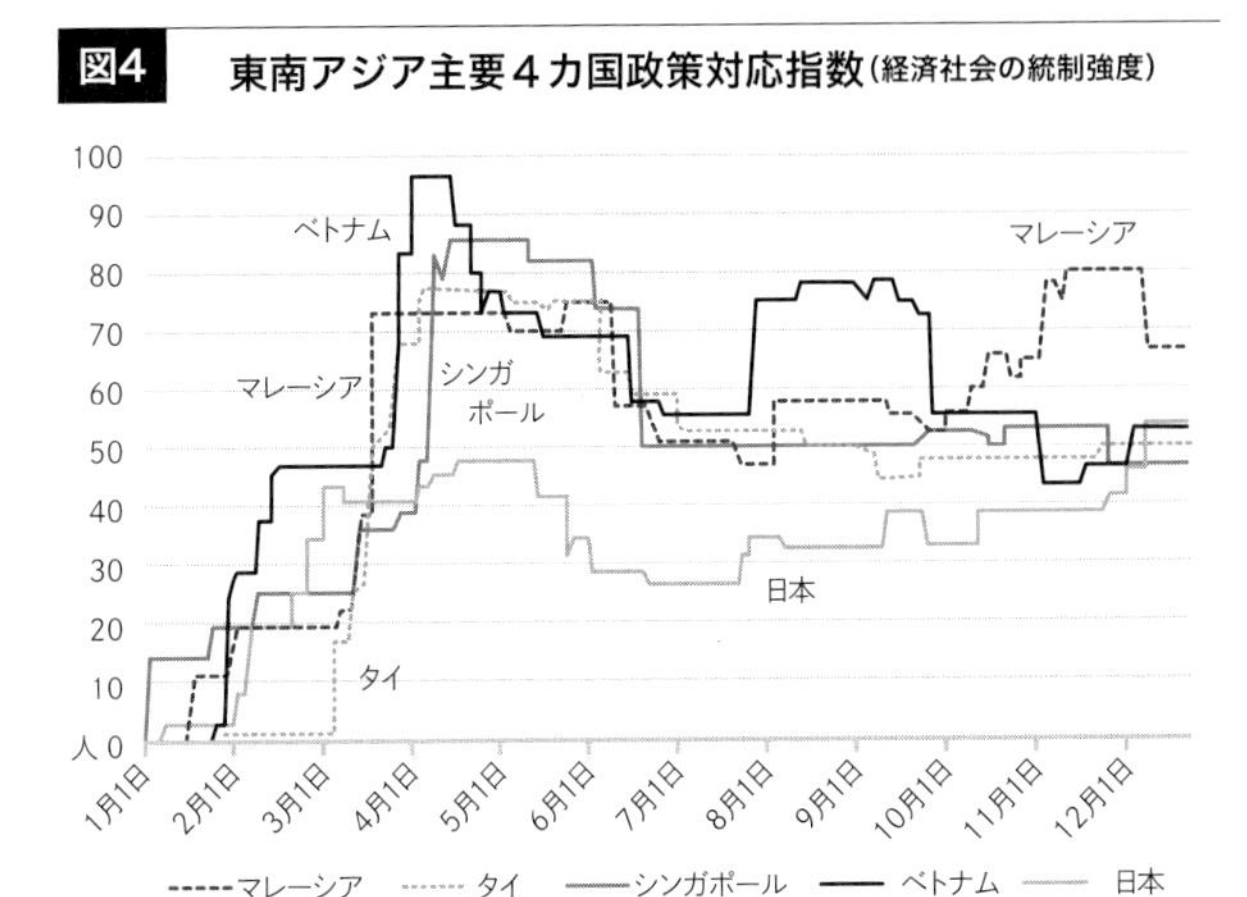

出典：https://ww.bsg.ox.ac.uk/research/research-projects/coronavirus-government-response-tracker

刃的なものにとどまっています。経済活動の停止は莫大な経済的コストを生みますが、その多くは民間企業や個人にしわ寄せがきています。これがおおむね甘受されている東南アジアの社会的特質には大変興味深いものがありますが、その検討は他の研究に譲りたいと思います。

各国の政策を横断面的に比較しこれを評価するのは容易ではありませんが、一つの資料として、オックスフォード大学が公表している政策対応指数（Government Response Stringency Index）が参考になります。これは、新型コロナ対応の政策的コミットメントの強度を指数化したものです。指数は、学校閉鎖、職場閉鎖、集会禁止、在宅要請、検査体制など、10の要素を加重平均して、最も強い統制度を100として算出されています。**図4**は、東南アジア4カ国と日本の指数を比較したものです。ほとんどの国が、3月から締め付けを強化し、感染の収束状況を見極めた上で、5月末頃から段階的に緩めていったことが分かります。

興味深いのはベトナムと日本の対比だと思います。ベトナムの統制の度合いは、感染の拡大状況に応じて、メリハリのある指数の上下動を示しています。これとは対照的に、政策対応がかなり緩慢なのが日本です。日本は2020年末から感染者数の増加が止まらず、これを抑えるために年明けの1月7日には首都圏の1都3県に、13日には7府県が追加されて計11都府県に緊急事態宣言が発令されました。外出自粛やテレワーク導入の要請、飲食店の時短営業など、その内容は、東南アジア諸国のコロナ封じ込め対策の徹底ぶりから見ればかなり及び腰の印象は拭えません。それでも幸いなことに、2月に入り日本全土で感染者数の減少傾向が報告されています。皮肉をこめて言えば、このようなのらりくらりの対応を続けながら、やがてワクチンの普及を待つ持久戦が、コロナ対応の「日本モデル」として注目されるようになるかもしれません。

コロナ禍からの教訓―東南アジアの場合

東南アジア4カ国の新型コロナへの対応から、多くの教訓と課題が浮かび上がりました。ここでは二点に絞って議論します。

第一は、国際間の対話の必要性です。効果的な感染症対策について、各国の経験を総括するような議論を継続することが重要でしょう。例えばベトナムは、徹底した封じ込め策を早期に導入し、感染拡大を防ぎましたが、この迅速な初動は、過去にSARSなどの感染症と対峙し、これを撃退した体験と無縁ではありません。過去に同じ感染対応を経験した韓国、台湾、香港が、それを教訓に今回のコロナ禍の管理に比較的良好に対応できていることも、これに通底しています。このような各国の経験を政策立案として具体化し、より効果的な感染拡大防止策を地域内で広く共有していくことが望まれます。他にも、ＡＳＥＡＮ ＣＯＶＩＤ-19対策基金の設立などの議論が注目を集めています。今回のコロナ禍は、東南アジア諸国の国際関係のさらなる緊密化につながることが期待されます。

第二に、今回のコロナ禍では、東南アジアに共通する重要な課題が浮かび上がりました。外国人労働者の問題です。２０１５年末にＡＥＣ（ＡＳＥＡＮ経済共同体）が発足し、域内における高技能労働者の移動は自由化されました。他方、圧倒的多数の単純労働者の越境移動に関する取り決めは先送りにされてきました。シンガポール、タイ、マレーシアなどの域内高所得国では、周辺国から数百万人規模の外国人労働者を受け入れており、製造業や建設業、サービス業などの現場が支えられています。にもかかわらず、彼らを社会の一員として融合させていこうとする機運はこれまで十分ではありませんでした。外国人労働者の集うドミトリーが感染監視対象から外れていたために、感染爆発を招いたシンガポールの例がその象徴とも言えるでしょう。これらの国では、外国人労働者は景気変動時の調整弁として位置付けられていて、法的地位は不安定であり、非正規労働者にいたっては、法的保護の枠外にあります。注意すべきは、外国人労働者こそがコロナ禍の直接かつ最大の被害者であるという点です。彼ら、彼女らは、工場や飲食店の突然の閉鎖により真っ先に失職し、しかも、国境の閉鎖で帰郷も困難となりました。劣悪な生活環境下に置かれている外国人労働者が社会不安の温床となったり、再び感染爆発の発生源になる懸念も存在しています。今回のコロナパニックは、今後、域内の外国人労働者をどのように公正に扱うべきか、人道的な議論のきっかけにならなければなりません。

図5 コロナ罹患者の死亡率(国際比較)

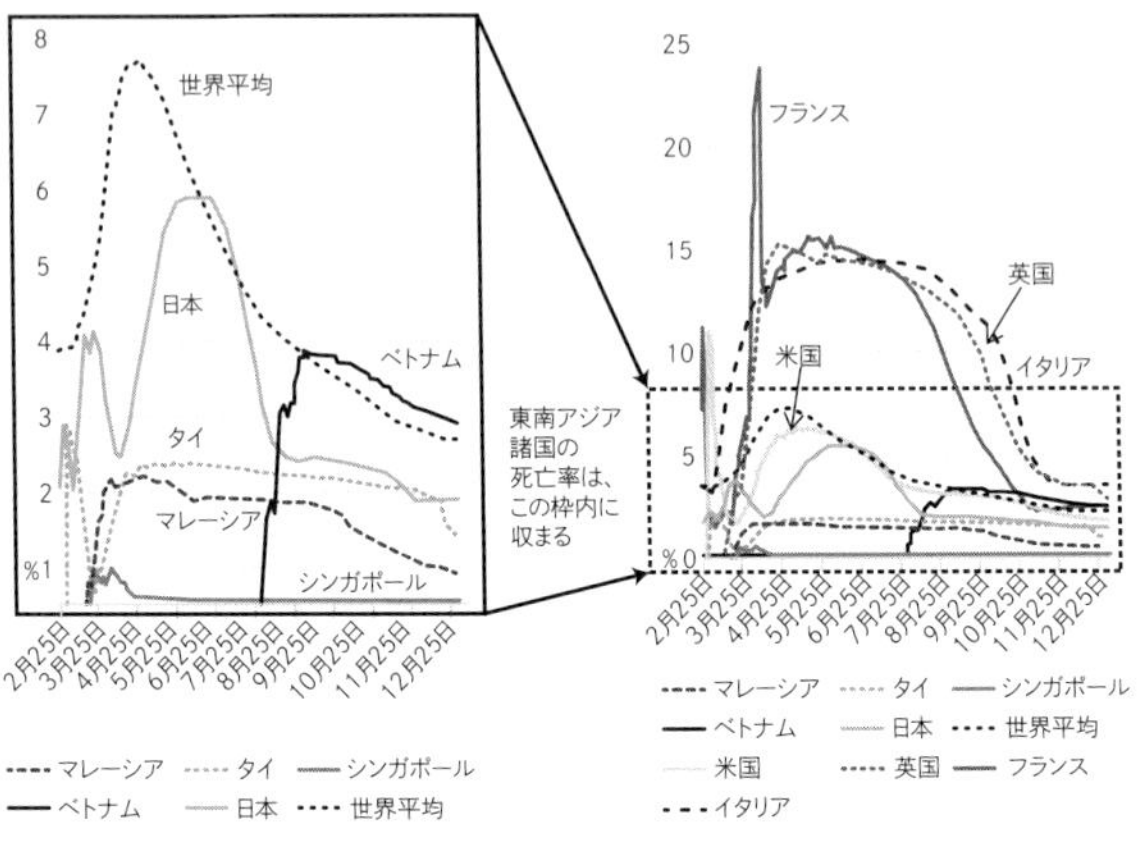

(注)死亡率=累積死亡者数÷累積感染者数、で計算
出典:https://ourworldindate.org/coronavirusより、筆者計算

東南アジアから新型コロナ後の世界を展望してみる

以上で概観してきたように、東南アジア諸国の新型コロナ対応とその抑え込みの成否は国によって少しずつ異なっています。しかしながら、この地域の国々が域内協力を深化、拡大させながら、新型コロナの抑え込みに一定程度実績を挙げていると結論づけていいと思います。コロナ禍による東南アジアの国々のダメージは、欧米諸国に比べれば軽微に済みました。**図5**は、新型コロナ罹患者の死亡率(%)を国際比較したものです。東南アジア諸国は、医療リソースが相対的に劣るにもかかわらず、欧米諸国よりも死亡率はかなり低くなっています。その医学的理由を検討することは筆者の能力を超えますが、ともかく、今後の世界経済は、新型コロナの抑え込みに成功した国や地域がリードしていくと考えられるでしょう。もしそうならば、地域としての東南アジアがその候補の一つに挙げられます。

表2　**IMFによる世界経済見通し**（成長率%）

	2019年	2020年（予）	2021年（予）
世界GDP	2.8	-4.4	5.2
先進国・地域	1.7	-5.8	3.9
アメリカ	2.2	-4.3	3.1
ユーロ圏	1.3	-8.3	5.2
日本	0.7	-5.3	2.3
新興国	3.7	-3.3	6.0
ASEAN5*	4.9	-3.4	6.2
中国	6.1	1.9	8.2
インド	4.2	-10.3	8.8
中東	1.4	-4.1	3.0
アフリカ	3.2	-3.0	3.1
他低所得途上国	5.3	-1.2	4.9

（*）シンガポール、インドネシア、マレーシア、タイ、フィリピン
出典：IMF世界経済見通し（2020年10月発表）

これは、国際機関の予測にも現れています。例えば**表2**は、国際通貨基金（IMF）が2020、21年の世界経済、各国・各地域の成長見通しを発表したものです。その中で東南アジア地域は、2020年のマイナス3.4%成長から転じて、21年には6.2%の経済成長が予測されています。これは、インド（8.8%）、中国（8.2%）に次ぐ高い数字です。もちろん、今後の新型コロナ感染爆発の程度にもよりますが、コロナ禍でいったん落ち込んだ東南アジア経済は、それ以前の成長軌道に復帰することが予想されています。

そもそもコロナパニック前から、東南アジアは、中国・インドと共に、世界の中でも高成長を続けてきた地域です。アジア各国は、多国籍企業が主導する国境をまたがるグローバルな生産ネットワークの中に組み込まれ、地域全体として成長を享受する発展メカニズムが形成されてきました。その中でも、世界の工場、そして世界の市場として、生産と消費の両面でアジア経済を牽引してきた中国の役割は絶大なものでした。その中国ですが、社会統制を徹底させることで新型コロナの管理・抑え込

みにほぼ成功しており、社会・経済活動の正常化に向けて舵を切っています。東南アジア地域で新型コロナ感染が沈静化していけば、例えば、海外旅行好きの中国人観光客がどっと東南アジア諸国になだれ込み、観光地は昔の賑わいを取り戻すでしょう。この例のように、中国の経済回復に牽引される形で東南アジアの経済も復調が期待されます。先のＩＭＦの経済予測もこれを反映したものです。折しもコロナ禍以前から、米中貿易摩擦を避ける意図で、多国籍企業が、そして中国企業自身も、中国から東南アジアに事業の移転を進めており、中国と東南アジアはますます経済的に一体化していくでしょう。その結果、新型コロナ対応に混乱が続く欧米諸国を尻目に、中国の経済成長に牽引される形で東南アジア経済の復興が進むはずです。この地域のいち早い経済回復が、新型コロナ後の世界経済の成長軸になる可能性は高いものと考えられます。

このような展望をしていくと、楽観的なシナリオの裏側に大きな懸念が浮上します。それは、この地域、ひいては世界における中国の影響力の増大です。その懸念は経済面だけにとどまりません。中でも目を引く動きは、中国のいわゆる「ワクチン外交」です。発生源とされる武漢での新型コロナ封じ込めの初動の失敗がその後の世界的拡大につながったとされることから、中国は世界的な批判を浴びました。これを挽回しようと、中国政府は、世界中で不足するマスクや医療用ガウンなどの医療物資を１５０カ国以上に提供し、いわゆる「マスク外交」を展開しました。しかしその品質は悪く、ほとんどが使用に堪えられない粗悪品と言われ、中国に返品が相次ぎ、世界のお笑いぐさとなりました。

これに対しワクチンは、新型コロナを抑え込める特効薬になることから、中国は途上国政府などに積極的な利用の働きかけを行っています。購買力に劣る途上国にも公正にワクチンが行き渡るためのコバックス・ファシリティーという共同購入のしくみがＷＨＯを中心に立ち上がったのですが、資金量やワクチン確保の面で十分でありません。この間隙を突くように中国の「ワクチン外交」が展開されています。感染者の急増に手を焼いているインドネシア、フィリピンなどでは、中国が提供するワクチンへの期待が高まっています。マレーシアなども、中国製ワクチンの優先供給を歓迎する意向を示しています。もちろん、ワクチン供給元の多角化、国産化など、中国依存を減らす努力は各国で続けられていますが、東南アジア地域を含む多くの途上国で中国の影響力が高まっていく可能性は高いものと思われます。

おわりに―世界から見た日本の新型コロナ対応

ここまで、東南アジア諸国を中心にコロナショック対応を概観してきました。ところで、東南アジア諸国のコロナ禍対応を観察すればするほど、そこから筆者の目に際立ってくるものは、皮肉にも、日本政府の新型コロナ対策の迷走ぶりです。日本政府のコロナ禍対応は、政府が積極的な封じ込め策を採っていないにもかかわらず死者が少なく、欧米メディアはこれを「Japan Puzzle（日本の謎）」などと言って揶揄しています。本論考を閉じるにあたって、東南アジアの視点から、日本のコロナ禍対応の評価を試みたいと思います。

まず政策的な対応を見てみましょう。**図4**にはっきりと観察されるように、日本のコロナ禍対応はメリハリのないダラダラとしたものになっています。東南アジア4カ国のコロナ禍対応と、これは好対照をなします。東南アジア4カ国では、感染の拡大期には移動制限など経済社会統制の度合いを一気に高め、感染の落ち着きが確認されると、それを少しずつ緩めていきました。日本のように、感染拡大が続く中でＧｏ Ｔｏを継続するような相反する政策を採ることはありません。政治体制の違いがあるとはいえ、抑制と緩和のメリハリがはっきりしていることが、東南アジア諸国の新型コロナ封じ込め策から学べる教訓です。

また、ワクチンの供与についても、日本はアジアの近隣諸国に対して指導力を発揮できていません。ＷＨＯが２０２０年12月末に公表したワクチン・リストによれば、臨床試験段階にあるワクチンは全世界で60種、臨床試験前の候補が１７２種あるのですが、その中で日本は、アンジェス、塩野義製薬、タカラバイオ、第一三共、大阪大学、東京大学など、ごく限られた製薬会社、大学の名前がそこに散見される程度です。日本の科学技術力をもってすれば、ファイザーやモデルナと並んで日本がワクチン実用化の一角を担ってもおかしくないはずなのですが、それができていません。中国が「ワクチン外交」を展開して周辺国に影響力を強めているのと好対照をなしています。菅義偉総理は、11月のＧ20の場で「治療薬、診断薬を全ての国が手の届く価格で大量に供給すべきだ」と述べましたが、途上国へのワクチン供給に関してこのように間接的支援を表明することくらいしかできないのが、今の日本の状況なのです。

戦後数十年の間、日本はアジア地域の経済・社会発展のリーダー役を演じてきました。昨今、日本の競争力低下が叫ばれて久しいですが、今回のコロナ禍はこれを決定的なものにするかもしれません。内向きの議論ばかりで、周辺諸国への医療支援などの議論も日本では一向に高まっていません。また、他国の参考とされるような感染症対策の「日本モデル」的なものも提示できていません。

日本の近隣には、ベトナムや台湾のような新型コロナ感染の管理にかなり成功している国・地域があります。これらの国・地域は、SARSや鳥インフルエンザなどの感染症と格闘してきた歴史があり、「ウィズ感染症」の経験値という点では、日本よりも遥かに先進国なのです。個人的に懸念されることは、それらの国・地域との対話を通じて、人類共通の敵である新型コロナウイルスに共同で対抗しようとする国際協調の気運が日本で全く高まっていないことです。国全体が内にこもり、縮こまっている印象を受けます。

コロナ禍は、やがて一定の落ち着きを取り戻すでしょう。しかしその時、アジアや世界における日本のプレゼンスが相当に低下していることを懸念しているのは、筆者だけでしょうか。

新型コロナ感染で株価は上がるのか？……………地主敏樹

ポイント

- 株価上昇は、株式市場によるV字回復期待の反映と解するのが基本。
- 熱狂的バブルではないが、世界的な金融緩和によって、リスクの対価が低下。
- 感染が収束しても、経済的悪影響が持続する可能性はある。
- 世界の国債残高は史上最高であり、通貨アタックの危険性は高まっている。

新型コロナウイルス感染拡大に対応して、日経平均株価は２０２０年3月に20％ほど急低下しました。しかし、その後は回復が続いて、11月にはコロナ禍前の相場を超える水準にまで上昇しています(図1)。大学で金融論を教えているので、「どこの経済状況も良くないのに、なぜ世界的な株高なの？」と尋ねられることが増えました。妻にも大学の秘書さんにも尋ねられました。「不思議だ」「奇妙だ」「おかしい」と思っている方が多いようです。

私はまず、「うーん」と唸りながら、どの答えを使って説明しようかなと考えます。いくつかの解答があるからです。それぞれの分かりやすさが、受け取る人によって異なると思われるのです。結構、迷いながら、確かめながら、答えることになります。「モゴモゴ言っている」と思われないように努力しますが、あまり成功していないかもしれません。

　ここでは、そのいくつかの答えを、順に説明してみたいと思います。新型コロナの経済・金融システムへの影響を考えるとともに、金融市場の価格の動き方について考えるヒントにもしていただきたいと考えています。

株価は将来の見込みを反映する

　これが株価を考える場合の基本です。A社の株式を保有していると、A社が稼いだ利益に応じた配当が、毎年配られます。A社の株式を保有することのメリットは、A社の今後の利益の動向に依存することになります。A社がこれから大きく儲けるだろうと見込めるようになれば、A社の株式保有のメリットが高まり、A社株を買おうという人が増えますから、A社の株価は高まります。逆に、A社の儲けが少なくなっていくと見込まれるようになると、A社株を売ろうという人が増えていくので、A社の株価は下がります（もっとも、そうしたことを常に考えて、細かなニュースに反応している人々が株式市場には大勢いるので、株価は素早く調整されてしまいます。私たちが気付く頃には、もう「織り込み済み」というわけです）。

　このように考えると、個別企業の株価と当該企業の将来業績見込みとの関係は、明快でしょう。経済全体についても、ほぼ同じように考えることができます。日本経済が将来において順調に発展すると予想できるようになれば、多くの日本企業が儲けることにつながるので、多くの企業の株価が上昇します。日本の株式市場には、日経平均や東証株価指数（ＴＯＰＩＸ）などの株価指数と呼ばれる指標があり、株式市場で取引されている様々な株式の

図1　**株価のグラフ：日経平均225**

出典：FREDデータベース、St. Louis 連銀より筆者作成

平均的な価格水準が高いか低いかを、表しています。従って、日本経済の将来が明るくなると日経平均やＴＯＰＩＸも上がります。逆に、日本経済の将来が暗くなると、日経平均やＴＯＰＩＸも下がります。**図1**をみると、10年前には日経平均が1万円を割りかける低水準にありました。世界金融危機で落ち込んだ経済の回復期待が弱かったのです。しかし、２０１２年末から株価は回復しました。日本経済の先行きへの期待が高まったのではないでしょうか。

これだけの準備をすると、1つ目の解答を導くことができます。現在の日本の平均的な株価が高いのは、「日本経済の将来が明るいと人々が考えているから」という解答です。「経済の現状が新型コロナ感染で良くないのに、おかしいのではないか」と思われるかもしれません。その疑問に対しては、「現在の景気は良くないが、新型コロナ感染の収束後に日本経済は急速回復すると、株式市場参加者が考えているから」という解答で、ＯＫでしょう。そうした急速回復は、図式のイメージを用いて「Ｖ字回復」と呼ばれます。高い株価水準は、「株式市場は新型コロナ後の経済のＶ字回復

出典：FREDデータベース、St. Louis連銀より筆者作成

を予想している」と解釈できるわけです。

景気はV字回復できるのか？

当然の疑問です。新型コロナ感染後の経済状況の推移をみてみましょう。緊急事態宣言が２０２０年４月に出て、経済活動に急ブレーキがかかりました。このことは、第２四半期（４～６月）の国内総生産（ＧＤＰ）の落ち込みに如実です。**図2**に描かれているように、ＧＤＰは40兆円ほど、ほぼ８％低下しました。しかし、第３四半期はどうでしょう？　緊急事態宣言が終了して、多くの経済活動が再開されると、ＧＤＰは30兆円近く増えました。新型コロナ前の水準には届きませんが、急速に回復しています。これはＶ字回復に近いでしょう。人工的に政策でストップをかけたことによる景気下降は、そのストップが人工的に解除されれば急回復しました。やや不完全ながらも、Ｖ字回復は現実に生じていたのです。

ただし、慎重な人は納得しないかもしれません。「第１波はそれで済んだけれど、今後はそれで済まないかもしれない」と思う人もいるでしょう。「新型コロナ感染の収束が不確実なままで、ストップ&ゴー政策を繰り返すことになると、次第に民間企業は疲弊していくのではないか」とか、「財政の余力が無くなっていくのではないか」と、考える人もいるでしょう。あまり悲観的に考えるのはお勧めできませんが、そうした懸念は正当なものであると、私も考えています。

まず、第1波に対応する緊急事態宣言は短期間で終了しました。従って、営業停止や一部の業務停止に追い込まれたビジネスも痛手は浅く済みましたし、下支えに回った財政負担も許容範囲内に収まりました。企業には持続化給付金や雇用調整助成金などを給付して、国民全員には一人当たり10万円の一律給付を実施したことは記憶に新しいでしょう。政策の細部に関しては検討の余地があるとしても、緊急事態において、こうした給付金という形の財政出動に即効性があったことは確かでしょう。

少し脱線。国民への給付にマイナンバーを利用するのは当然のことで、それへの批判を繰り返す一部の人々は、脱税意図を隠匿した言説に影響されているのではないでしょうか。一方で給付の遅れを批判して、他方でマイナンバーの利用を阻止しようとすることは、矛盾しています。マイナンバー類似の制度は世界標準です。何十年も前からアメリカにおいては社会保障番号がないと給料が受け取れませんでした。今では銀行口座開設にも必要です。日本はマイナンバー導入が大きく遅れたのです。なお、日本では個々のマイナンバーを守秘しようと努めていますが、韓国では個人がマイナンバーを覚えていて、酒の席で教えてくれるほどです。海外の人々は、日本のマイナンバーの状況を不思議がっています。

閑話休題。2020年11月からの第3波がなかなか収束しないで経済活動のストップが拡大・強化されていくと、景気は当然再下降していきます。そうした政策によって、感染拡大をスローダウンさせて医療崩壊を回避することができたとしても、当面はこうしたストップ&ゴー政策が繰り返されることになるでしょう。少なくとも多数の国民へのワクチン接種が進むまでの間はそのようになるはずなので、医療崩壊状態にならないことを祈るばかりです。後でもう一度検討したいと思いますが、ストップ&ゴーが繰り返されていくと、民間企業や個人も、それを下支えしている政府財政も、次第に厳しい状態に陥っていくことが懸念されます。

再び脱線。日本の医療サービス資源が各国と比べて少ないのかは疑問であり、日常的な使い過ぎ状態(過剰診療・過剰投薬)を継続しようとするグループが、危機モードへの移行を邪魔しているのではないかという、疑念が生じてしまいます。医療サービス資源も含めて、一国内の諸資源は有限なので、危機対応モードに移行するには、通常モードの一部を削減することが必要です。経済学では、そうしたことをトレードオフと呼んでおり、すべての選択にはトレードオフがつきものであることを、講義の最初に教えています。何事にも優先順位があるのです。災害医療におけるトリアージに準じて、医療サービスの適用対象者に優先順位をつける必要があるのだと、私は考えています。相対的に不要不急なサービスを削減すれば、医療関係者の過労状態も少し緩和されるのではないでしょうか。

株式の保有動機には値上がり期待もある?

金融市場への影響に戻りましょう。再び、株価を検討してみます。A社の株価はA社の将来収益見込みを反映していることを、最初に確認しました。しかし、それだけでしょうか？　A社の株式を買うのは、「A社の株価の値上がりを見込んでのことじゃないか」と考える人もいるでしょう。その通りです。株式などへの投資の戦略には、30年後を目指して保有し続けるという超長期の考え方の投資信託がある一方で、一日の中でも売買を繰り返すデイトレードという超短期の取引を中心に投資している人々もいます。後者は、短期的な値上がり収益を積み重ねていこうとしているわけです。

現在の金融市場には、資金が豊富に存在しており、たいていの人なら資金を借りて投資することも簡単です。金利も、日本銀行の超緩和政策のおかげで、非常に低金利が持続しています。従って、デイトレードのような投資手法を実施しやすい環境であると言えるでしょう。ただ、デイトレードは、ニュースに対して他人に先んじて反応することが肝心なので、普通の職業をもっている人には難しいでしょう。自宅などに投資活動のために籠ることのできる部屋があって、朝から晩までいくつものモニターをにらんで様々なニュースや値動きを追尾して、変化に即応する状況を継続できる人々向けの投資手法です。そうした生活がしたくない人には、向いていません。

とは言え、値上がり期待のデイトレードが活発になる素地を作っているのは、新型コロナ対応で実施されている金融政策に他なりません。日本では、第2次安倍政権が始まった後、黒田東彦日銀総裁が就任して2％のインフレ目標実現を目指した、異次元金融緩和政策が始まりました。当初は、2年間で貨幣量を2倍にしてインフレ率を2％にまで上昇させるという、大胆かつ分かりやすい政策でした。**図3**でも、2013年以後に日本銀行の総資産が急速に伸びていることが明瞭でしょう。日本銀行が大量に国債などの諸金融資産を買い入れて、貨幣を発行してきたのです。コロナ禍対応でも、さらに大きく増えています。

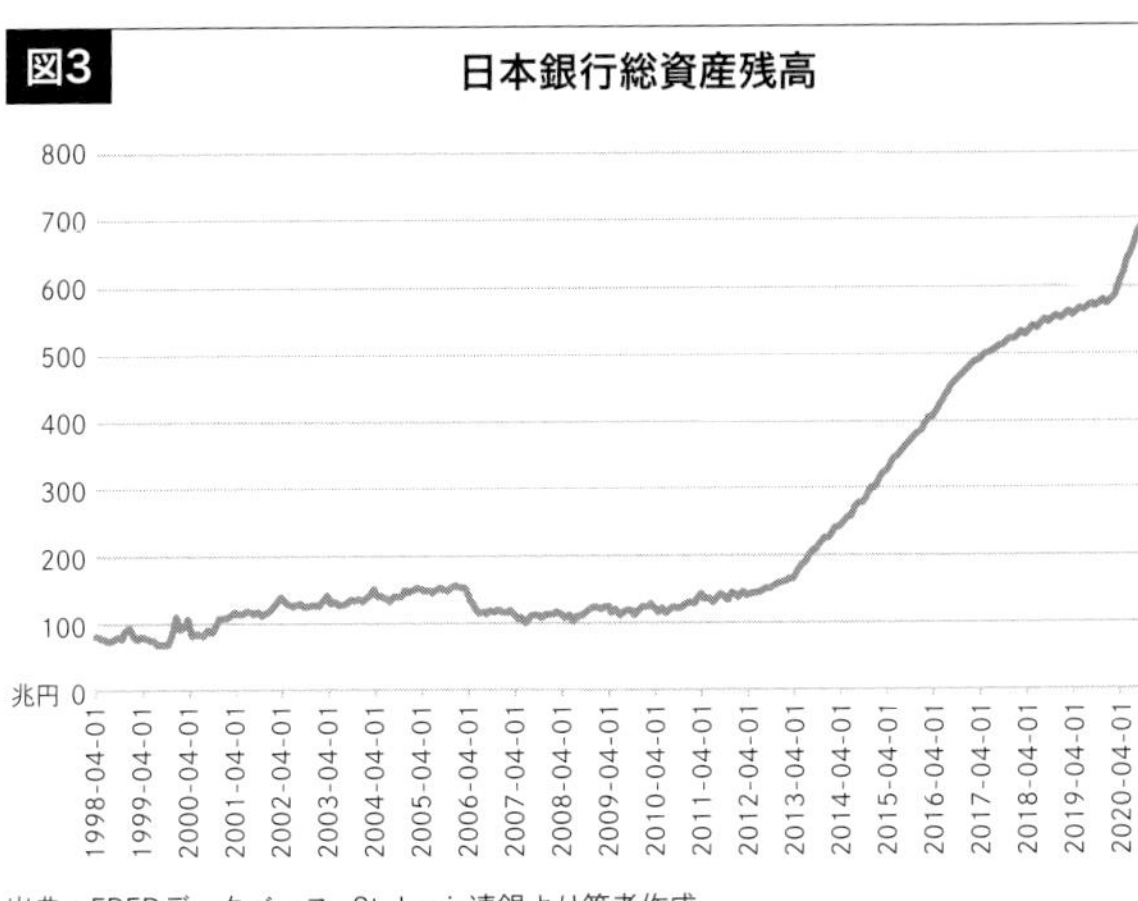

出典：FREDデータベース、St. Louis連銀より筆者作成

この政策の貢献もあって、日本経済はデフレ状況からほぼ脱出することができました。インフレ率がマイナス値をとっていることが常態である状況は10年余り継続しましたが、ようやく終わったのです。新型コロナ感染で急ストップがかかるまで長期にわたる景気拡大が続き、人手不足経済が実現していました。ただし、インフレ率はプラス値になったものの、目標の2％には到達しませんでした。そのために異次元金融緩和は継続されてきており、新型コロナ感染への対応では強化もされました。日本の金融市場に資金は有り余っており（過剰流動性）、極めて低い資金コストで利用できるので、値上がり期待の金融投資を活発にしているのです。

世界的な金融緩和

新型コロナ感染が拡大する直前には、日本と欧州（ユーロ圏）において強い金融緩和政策が実施されていました。中央銀行（日本銀行と欧州中央銀行）がコントロールしている短期金利をほぼ限界（ゼロ金利）にまで引き下げておいて、かつ、大量の国債を購入して大量の貨幣を発行（量的緩和）していたのです。新型コロナ感染拡大に伴う景気低下が予想されるようになると、アメリカの中央銀行（連邦準備制度）も、ゼロ金利＋量的緩和という政策パッケージを実施しました。対応するように、日欧の金融緩和も強化されました。こうして、先進国の3主要中央銀行が強力な金融緩和を同時に実施することとなったのです。

アメリカが加わったことで、世界の金融市場へのインパクトは格段に大きくなりました。アメリカの通貨である米ドルは現在でも国際基軸通貨であり、国境をまたぐ貿易・金融取引の多くが、米ドルを単位とした金額で表示・契約されて、米ドルで支払い・決済されています。そのため、米ドルに対して自国通貨が値上がりすると、自国製品の価格が国際市場で値上がりしてしまい、輸出減少につながることが懸念されます。途上国で特に顕著ですが、自国通貨を米ドルに対して安定化させようという傾向が一般的に見られます。日本円や欧州の諸通貨のように、変動相場制度を採用して、為替相場の決定を金融市場に任せている国々は、実は少数派なのです。多くの途上国は、対ドルの為替相場を安定させるべく、様々な工夫を実施しているのが、現実です。自国通貨の対ドル為替相場を安定させるには、自国の金利とアメリカの金利との格差を維持することが基本となります。そこで、アメリカの利下げは世界各国の利下げ＝金融緩和につながりやすいのです（図4）。

ニューヨークは世界の金融センターです。ニューヨークに拠点をおいている大手金融機関には、世界の資金が流入しています。その巨大な資金を、アメリカの大手投資銀行などが中心となって、世界的に運用しています。アメリカは貿易赤字国であり、赤字分の支払いのために中国や日本から借金をしているのですが、流入資金の世界運用での儲けが借金への利払いよりも大きいことが常態となっています。アメリカそのものが、世界に対して銀行のような機能

図4　アメリカの利下げと世界の追随

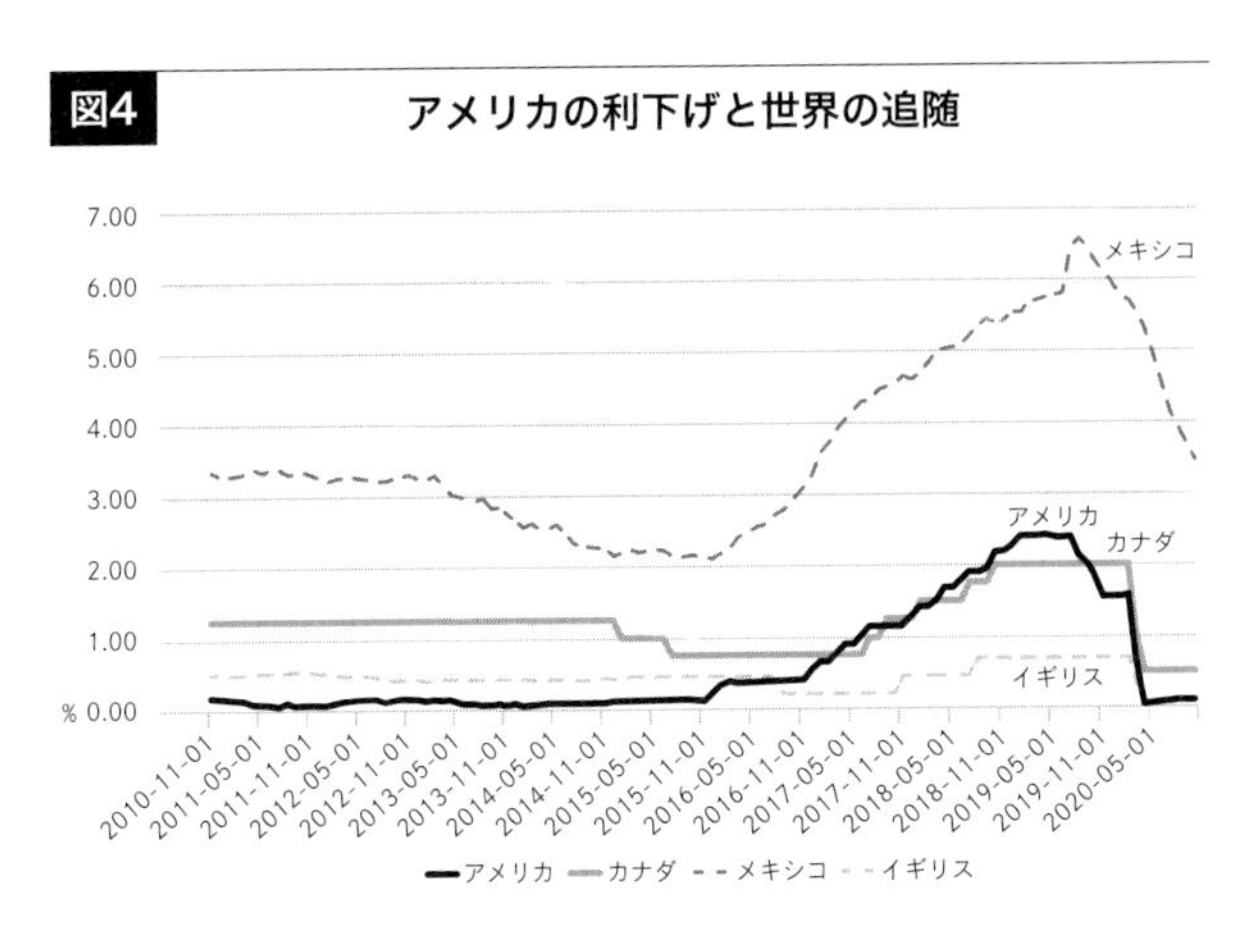

出典：FREDデータベース、St.Louis連銀より筆者作成

を果たしているのです（銀行は、預金という形で借金し、貸付という形で運用して、預金と貸付それぞれの利子率の差で儲けています）。ただし、それだけ儲けるためにはリスクの高い運用をしているので、アメリカの大手金融機関が運用に失敗することがあります。その多くが経営危機に陥ったりすると、世界経済を道連れにしかねません。２００８年に発生した世界金融危機がそうでした。

アメリカにおける金融緩和は、そうした大手金融機関の活動を活発にします。また、アメリカに先導された世界各国の金融緩和は、アメリカに流入する資金フローを拡大させます。結果的に、アメリカから流出していく資金フローも拡大することになります。世界中で、収益が見込める様々な資産を購入していく結果として、株価をはじめとした資産価格が世界的に上昇しやすくなるのです。

異次元緩和が株価を高めるメカニズム──リスクの対価の低下

ここで、過剰流動性とゼロ金利の組み合わせが株価上昇につながるメカニズムを、日本の状況に即して、少し詳しく検討してみましょう。

まず、日本銀行が、いろいろな銀行から国債を購入します。例えば、日本銀行に国債を販売したB銀行が、代金1億円を受け取ったとしましょう(実は、この時の購入価格を高く設定することによっても、日本銀行はマイナス金利を実現しています。1億円の返済金を受け取れる国債を1億1千万円で購入すると、金利はマイナスになります)。

B銀行は、その1億円を運用して、収益を上げようとします。銀行の資金運用の中核は貸出ですが、すぐに貸出先がみつかることは稀でしょう。その場合、金融市場での資産購入を検討することになります。一番安全な資産は短期国債ですが、短期国債の金利はマイナスになっており、ほとんど儲かりません。長期国債もその次に安全ですが、長期国債の金利もゼロになっているので、やはりほぼ儲かりません。社債にも安全だと評価されている、格付けが高いものがありますが、それら高格付社債の金利も極めて低くなっているので、あまり儲かりません。量的緩和が継続する中、それら安全な資産は大量に買われて、既に値上がりしてしまっているのです。それでも、ある程度安全な資金運用を続けるとするなら、B銀行は長期国債や高格付社債を購入するかもしれません。

B銀行に長期国債や高格付社債を1億円分売却するのは、他の金融機関や企業などでしょう。C社としておきましょう。C社の資産運用を担当するファンドマネジャーは、代金として受け取った1億円の運用を検討することになります。B銀行と比較すると、より自由に、リスクのある資産の購入も検討するものとしましょう。まずは、国内金融資産を検討してみましょう。返済されないリスクが高いと評価されている低格付社債なら、リスクに対応してプラスの金利がついているでしょう。また、株価変動リスクを負うことになりますが、国内株式の購入も検討対象でしょう。本稿の最初で説明したように、将来の配当受け取りが期待できる点はプラスです。次いで、為替レートの変

図5　**リスク資産価格を決定するメカニズム**

$$\text{リスク資産価格}=\frac{\text{リスク資産保有による収益}}{\text{政策金利}+\text{リスクの存在量}\times\text{リスクの対価}}$$

動に伴うリスクを負うことになりますが、海外の金融資産も検討対象になるでしょう。途上国の国債ならプラスの金利がついているでしょうし、先進国の低格付社債にもプラスの金利がついているはずです。株式なら、やはり配当の受け取りが期待できます。最後に、内外の様々なリスク資産を組み合わせたり、リスクを軽減するオプションなどと組み合わせたりした、合成された金融商品を購入することも、検討できるでしょう。

C社は、こうした様々なリスク資産を購入することになるはずです。日本銀行は、大量に国債を購入しているので、多くの金融機関や企業が、C社と同様な行動をとるでしょう。そうすると、大幅に需要が高まったリスク資産の価格が上昇することになります。その一環として、国内株価も上昇しているのです。

リスク資産を購入すること、つまりリスクを負うことに対しては、そのことに相応する収益が見込めることが必要だと考えられています。返済できないリスクの高い借り手に対して、安全な借り手に対してよりも高い金利を要求するのは、その典型例です。しかし、前述のようなメカニズムで資産価格が上昇すると、その資産の予想収益率は低下します。何が起きているのかというと、各資産にどれだけリスクがあるのかという評価は変化していませんが、そのリスクに相応すべき収益（リスクの対価）が低下しているのです。過剰流動性が存在して、かつ、ゼロ金利によって資金コストが低下しているもとで、収益の見込める資金運用先を探す行動が、リスクの対価を低下させているのです。

すこし補足。このメカニズムを理解するには、**図5**のような簡単な割り算をイメージするといいでしょう(厳密な数式ではありませんが、近似的にはＯＫでしょう)。どのリスク資産の価格も、その資産を保有することによる収益が増えると高まります。他方で、(安全性が高まったとみなされて)その資産に存在するリスク量が減ったり、リスクの対価が低下したりしても、リスク資産価格は上昇します。また、中央銀行がコントロールしている政策金利が低下しても、リスク資産価格は上昇するのです。

This Time Is Different(今回は違う)?

前節で説明したように、量的緩和が引き起こすリスク資産への需要の高まりは、リスク資産の価格を上昇させています。リスクを引き受けようという意欲が金融市場全体として高まっているために、リスクを引き受けることに対する報酬＝リスクの対価が低下するというメカニズムが観察されています。確かに平常時と比べてリスク資産の価格は高まっているのですが、１９９０年頃の日本や２０００年代半の米国で見られたような、熱狂的なバブルとは異なるメカニズムだと考えることができます。熱狂的なバブルの場合は、経済に楽観が蔓延しリスクの存在量の評価が過度に低下して、リスク資産の価格が高まったのでした。そして、日米のどちらのバブルにおいても、銀行や投資銀行などの大手金融機関の多くが巨大な損失を被り、破綻してしまうケースも出てしまいました。金融システムが傷み家計や企業が過度の借金を背負うこととなるので、熱狂的バブルの後遺症である経済停滞は10年近く続くということが、世界の経験則として知られています(カルメン M ラインハート、ケネス S ロゴフ著、村井章子訳、『国家は破綻する　金融危機の８００年』、日経ＢＰ、２０１１年３月)。

出典：経済社会総合研究所（ESRI）、内閣府より筆者作成

図6には、日本のＧＤＰの推移が示されています。バブル崩壊までの順調な成長と、その後の停滞との対比は明瞭でしょう。90年代以後は30年間にわたって、日本のＧＤＰは５００兆円と５５０兆円との間のボックス圏の中で上下動してきました。なお、バブル崩壊後の経済停滞が世界の経験則の10年間で終わらなかったのは、人口減少など他の要因の影響が大きいと考えられています。ＩＴ化あるいはデジタル化に乗り遅れてしまったことも影響したでしょう（なお、物価変動の影響を取り除くとこれほど極端な図にはなりません）。

２０１９年頃にはようやく５５０兆円を超えたようでしたが、コロナ禍の影響でまた元のボックス圏に低下してしまいました。第３四半期には不完全なV字回復が生じましたが、第４四半期に入って感染は再拡大しつつあるので、経済活動低下が予想されます。今回のコロナ禍は、いつまで、どれほどの経済的影響をもたらすのでしょうか。

むすび――いつまで続くのか？

一般に、コロナ禍は感染拡大が収束すれば、平常に戻るだろうと考えられているでしょう。新型コロナ感染という面ではその通りなのでしょうが、経済面では悪影響がいつまで続くのかという問題があります。この二つの問題は関連していますが、別の問題だということを、ここまで読んでいただいた読者なら分かってもらえるのではないでしょうか。日本はバブル崩壊後、短く数えても10年を超える停滞を経験しました。新型コロナ感染収束後に、悪影響が続く可能性は十分に考えられます。

感染再拡大と経済活動ストップのサイクルが繰り返されると、廃業する民間企業は増えていき、窮乏化する世帯も増加するでしょう。政府は様々な補助金や給付金で助けようとしています。また、企業も個人も借金返済に困ることが増えていくでしょう。政府は信用保証の特別プログラムを大々的に実施しているので、銀行などの貸し手の損失はかなり抑えられるでしょう。当面は大丈夫と言えそうですが、長く継続してしまうと、政府の財政そのものも窮地に陥りかねません。日本政府は、もともと借金の水準が世界でもずば抜けて高かったのです。大規模の新規国債発行がいつまで続けられるでしょうか。

コロナ禍対応もあり、世界全体で財政赤字が増大して、国債発行が増えてきました。世界の国債残高を合計すると、史上最高水準になっていると報告されています。先進国だけの合計額では第二次大戦終了時の水準を超えつつあります。世界的にバランスが崩れているのかもしれません。こうした場合、大儲けを狙う投機家は弱そうな国から通貨アタックを始めるのが通例です。世界金融危機後のギリシャ危機がそうでした。その後アタック範囲は広がって、スペインやイタリアなども対象となりました。日本はまだ最初の餌食ではないかもしれません。しかし、投機家たちはアタック対象候補に分類しているはずです。通貨アタックに負けてしまうと、通貨の対外価値は暴落し、輸入品価格の暴騰から悪いインフレーションが始まって、一般国民の生活水準も低下します。そのマイナス影響はまた10年続くかもしれません。

ただし、悪い可能性ばかりではありません。日本はデジタル化に遅れてしまいましたが、コロナ禍で一気に世界標準へキャッチアップする可能性がでてきました。誰しも、以前の成功体験はなかなか捨てられないものですが、大きな危機は変化への契機となり得ます。日本経済の生産性が高められれば、経済回復はコロナ禍前のピークを大きく越えていく可能性があるでしょう。アタック対象になるのではなく、プラスの変化を実現したいものだと考えています。

第7章

歴史は語る ポストコロナの世界像

関西大学文学部　教授

西本昌弘(にしもと・まさひろ)

1955年、大阪府生まれ。大阪大学大学院文学研究科博士課程修了、宮内庁書陵部主任研究官を経て、1999年から現職。

日本古代史専攻。政治史・社会史から仏教史・文化史まで幅広く研究。最近は古代の災害史や疫病史についても関心をもって考察を進めている。主著に『早良親王』(吉川弘文館、2019年)、『空海と弘仁皇帝の時代』(塙書房、2020年)などがある。

関西大学東西学術研究所　特別任用准教授

菊池信彦(きくち・のぶひこ)

1979年生まれ。博士(文学)。京都大学大学院文学研究科博士後期課程修了。国立国会図書館司書、関西大学アジア・オープン・リサーチセンター特命准教授を経て、2020年から現職。主な研究テーマは、デジタルヒストリーやデジタルヒューマニティーズなど、歴史学や人文学におけるデジタル技術の活用について。専門とする対象はスペイン近現代史。

コロナ禍で変わる歴史の見方―古代の疫病流行と対策―……………西本昌弘

ポイント

・奈良時代には天然痘流行で人口が激減。聖武天皇の度重なる首都移転は感染症対策か。
・平安時代にはインフルエンザが大流行。経済振興策として平安京内で御霊会（ごりょうえ）を開催か。
・日本は古代から伝染病記録の先進国。コロナ禍でも日々の記録を残す努力を。

コロナ禍で甦る過去の疫病流行

新型コロナウイルス感染症の流行によって、私たちの生活は劇的に変わってしまいました。日本においては約100年ぶりに迎える深刻な疫病大流行ですが、突然降って湧いたようなコロナ禍は人々の考え方にも多大な影響を及ぼしています。ことは現代に関わる事柄に限られず、過ぎ去った出来事に対しても、その見方を大きく変えざるをえなくなるでしょう。歴史を振り返ってみると、疫病や災害によって多くの人々が被害を受け、命を失うことは無数にあったわけですが、21世紀に生きる私たちはそれらをきれいに忘れ去っていることに気づかされたのです。私は日本古代史を専門に研究していますが、今回の疫病流行を経験して、これまで通説となっていた歴史の解釈について、改めて新たな視点から考え直してみる必要性を感じています。今回はそうした歴史的事実のうち、古代史に関わるものから3点ほど取り上げて論じてみたいと思います。

奈良時代の天然痘流行

まずは奈良時代の天然痘流行です。古代の朝廷は『日本書紀』から『日本三代実録』まで6つの歴史書を編纂しましたが、これらを総称して六国史といいます。そのうち第2の六国史である『続日本紀』によると、まず天平7（735）年の夏に九州で豌豆瘡とか裳瘡と呼ばれる疫病が流行し、秋・冬にはそれが平城京に波及しました。豌豆瘡・裳瘡というのは天然痘（疱瘡）のことです。患者の身体に豌豆状の水疱や膿疱ができ、治癒後もあばた状の痕跡が残るためこう呼ばれました。9月には新田部親王、11月には舎人親王が亡くなりました。2人とも天武天皇の皇子で、長老的な存在として朝廷の首脳部を担っていました。舎人親王は『日本書紀』編纂の総裁としても有名です。『続日本紀』は同年条の末尾で次のように述べています。

是の歳、年頗る稔らず。夏より冬に至るまで、天下、豌豆瘡（俗に裳瘡と曰ふ）を患ふ。夭くして死ぬ者多し。
（この年、稲がまったく実らず、夏より冬に至るまで、全国で豌豆瘡（世間では裳瘡という）が流行し、若くして亡くなる者が多かった）

翌年には疫病はいったん下火になりましたが、天平9（737）年には再び疫病が日本列島を襲うことになります。

『続日本紀』は同年条の末尾で、

是の年の春、疫瘡大いに発る。初め筑紫より来たりて夏を経て秋に渉る。公卿以下天下の百姓相継ぎて没死すること、勝げて計ふべからず。近代以来、いまだこれ有らざるなり。

（この年の春、疫病が大流行した。はじめ九州より発生し、夏を経て秋に及んだ。公卿（高官）以下、諸国の人民が相次いで死亡すること、数えられないほどであった。近年では未曾有のことであった）


と語っています。朝廷の高官に上りつめていた藤原氏の四兄弟も次々に発病し、4月に参議の房前が、7月に参議の麻呂と右大臣の武智麻呂が、8月に参議の宇合がそれぞれ逝去しました。2年前に流行した天然痘のウイルスが残っていたのでしょうか、1年を隔てた再流行によって、政界のトップをはじめとする多くの人命が失われたのです。

人口の25～30％が死亡

ウェイン・ファリスの研究によると、天平9年の日本全体の平均死亡率は25～35％と推計されています。この年の諸国の正税帳（財政報告書）が残されており、死者には税金の納付義務が免除されることから、その免除額から死者の比率が計算できるからです。和泉国（大阪府の一部）では45％、駿河国（静岡県の一部）では30～34％、長門国（山口県の一部)では14%、豊後国(大分県)では30~31%という驚くべき死亡率でした。朝廷の高官も33人中11人が亡くなっていますので、25~35%という死亡率はほぼ妥当な数字と思われます。当時の日本の総人口は約450万人と推定されていますので、約100万人から150万人もの人々が命を落としたことになります(吉川真司『天皇の歴史02　聖武天皇と仏都平城京』講談社、2011年)。このうち首都の平城京には約10万人が暮らしていました。古代においても首都にはかなりの人口が集中していたことになります。

最初の天然痘流行と収束

島国である日本は大陸で流行する疫病から隔離されるという幸運を有していました。しかし、未知の感染症がいったん海を飛び越え日本に侵入した場合には、疫病による異常な災厄がもたらされることになります(ウィリアム・H・マクニール『疾病と世界史』上、中央公論新社、2007年)。日本で天然痘が流行したのは天平7年が最初のことでした。このため、免疫をもたない日本人にウイルスが襲いかかり、大きな被害をもたらしたのです。朝廷は中国の医方書を参考に大黄・青木香・黄連などの漢方薬を煮て服用したり、小豆粉・鶏卵などを食したりするように通達を出しますが(『類聚符宣抄』巻3、『朝野群載』巻21)、一般人にはこのような高価な生薬や食品を入手することは難しく、その実効性は疑問視されています。ワクチンのない当時としては、結局は多くの人々が感染することで集団免疫を獲得し、感染を収束させたと考えられます。その後、日本では天然痘が約30年ごとに流行し、その間隔がやがて6~7年となり、ついに平安時代の10世紀初頭には毎年小流行するようになりました(富士川游『日本疾病史』平凡社、

1969年)。

聖武天皇の仏教政策

天然痘の大きな被害に直面した聖武天皇はどのような対策をとったのでしょうか。前に述べたような治療法を諸国に指示したほかに、天皇は仏教の力によって疫病に打ち勝とうとしたようです。天平13(741)年2月に国分寺建立の詔を出し、国ごとに国分寺と国分尼寺を建設することを命じました。国分寺の正式名称は「金光明四天王護国之寺」、国分尼寺の正式名称は「法華滅罪之寺」というもので、国分寺と国分尼寺の塔には金光明経と法華経をそれぞれ収納させせました。金光明経には国家に大きな災厄が降りかかったさいには、四天王が現れて国を護ってくれると説かれていますので、仏教の大きな力に頼って国家と人民を立て直そうとしたのです。また、天平15(743)年10月には大仏造立の詔を発布し、大仏の造営を命じました。大仏造立はときの都であった紫香楽宮で開始されますが、のちに平城京に帰還すると、平城京の東大寺で造営が引き継がれ、天平勝宝4(752)年4月に東大寺で大仏開眼供養会が盛大に催されます。

首都移転と疫病対策

以上に紹介したことは、これまで考えられてきた通説による疫病対策ですが、今回の新型コロナの感染流行を経験した私たちには、別の見方が可能となるように思われます。天然痘流行の3年後、天平12（740）年9月に九州で藤原広嗣の乱が起こると、聖武天皇は10月から伊勢・美濃方面へ行幸に出かけ、不破関（岐阜県関ケ原町）に向かいます。そこから琵琶湖東岸を南下したあと、12月には山背国の恭仁京へ入り、平城京から恭仁京への遷都を宣言します。以後、天皇は摂津国の難波宮や近江国の紫香楽宮へ移ったあと、天平17（745）年5月になって5年ぶりに平城京へ帰ってきます。平城京を離れ、恭仁京・紫香楽宮などを転々とする聖武天皇の動きを「彷徨五年」と称しますが、その動機が謎に満ちており、さまざまな議論が行われてきました（図1）。これまでに唱えられているのは、藤原広嗣の乱から避難したのであるとか、唐にならって首都を3つ設けたのであるとか、壬申の乱で大海人皇子が移動したルートを追体験することで、危機意識を高めるためであるとか、日本を仏教国にすることを伊勢神宮に報告するためであったなどという説です。

図1　聖武天皇の「大行幸」行程図

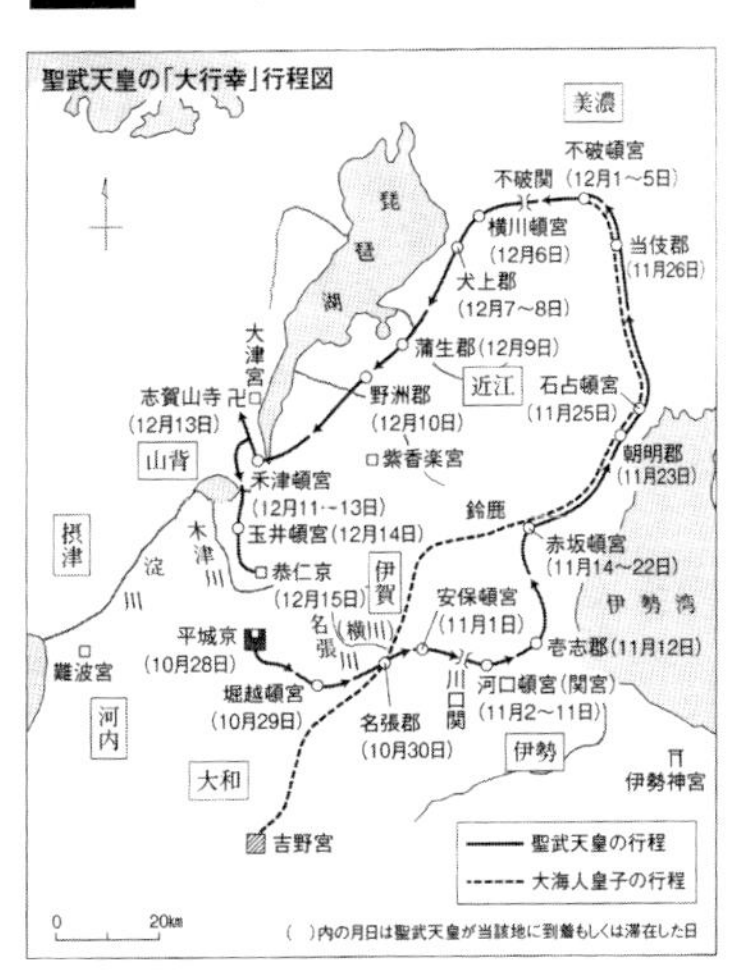

出典：栄原永遠男『日本歴史　私の最新講義　聖武天皇と紫香楽宮』（敬文舎、2014年）39ページ

　しかし、今回の新型コロナ騒動を経験すると、疫病対策として別の見方ができるのではないでしょうか。それは首都（平城京）を移転することで、疫病の沈静化をはかったという見方です。前にも述べたように、平城京には約10万人の人口が集中

しており、いったん疫病が流行すると、急速な感染拡大が起こった可能性があります。疫病が蔓延する平城京を離れ、人口がそれほど集中していない伊勢・美濃・近江方面へ移動したのちに、山背国や摂津国・近江国などへ首都を移すことで、脱・人口集中政策をとったと考えられるのです。新型コロナ感染拡大にさいしては、東京一極集中による新型コロナ被害拡大のことが議論され、新型コロナ問題は東京問題でもあると叫ばれたことがあります。こうした最近の経験を踏まえると、奈良時代における未曽有の疫病流行に対して、首都移転による感染対策がとられた可能性は少なくないといわねばなりません。

平安遷都と疫病流行

同様のことは平安遷都からまもなくの時期にも起こっています。桓武天皇は延暦13（794）年10月に長岡京から平安京へ遷都しました。この10年前には平城京から長岡京への遷都が行われたのですが、長岡京の造営事業がはかばかしく進まず、地形的にも丘陵地の多い長岡京は水害に弱いことが明らかになります。そこで、桓武天皇は改めて平安京への遷都を実行したのですが、すでに10年間の長岡京造営工事ののちに、平安京の造営事業が追加されたわけですから、諸国から徴発された役夫（えきふ）には大きな負担がかかり、民衆の疲弊は頂点に達していました。平安京の造営事業にも多くの年月が費やされ、桓武天皇の晩年まで工事が続いていました。同時に東北地方の蝦夷（えみし）との戦闘のため、多くの軍勢が派遣されていたので、民衆は首都造営と東北遠征という二大事業のために多大の犠牲を払っていたのです。こうした負担により免疫力の低下していた民衆に、飢饉と疫病が襲いかかることになります。このため桓武天皇は延暦24（８０５）年12月に平安京造営と東北遠征の二大事業を停止する命令を出さざるをえなくなりました。そのときの命令には、「時に災害と疫病に遭遇し、農業生産にも損害が生じている」と言及されています。

大同年間の疫病流行

桓武天皇の死後、大同元（８０６）年４月に息子の平城天皇が即位しますが、平城天皇の時代には疫病流行がさらに深刻化します。すでに桓武朝の末年から疫病は流行しはじめていましたが、大同元年には九州で水害と疫病が大きな被害を出しました。大同３（８０８）年には平安京内に疫病が波及して、病人が街にあふれ、死者が激増しました。朝廷は医薬や米・塩・味噌などを支給し、全国で大般若経（だいはんにゃきょう）や仁王経（にんのうきょう）を読み、諸国の有名な神社に祈らせるなどの対策をとりましたが、感染拡大はなかなか収まらず、６月には「当今（とうこん）、天下疫（えき）に困しみ、亡没殆（ぼうぼつほとん）ど半（なかば）ならんとす」（いまや全国で疫病に苦しみ、死者は人口の半分に達せんとしている）とか、12月には「国中疫を患い、民庶死に尽す」（国中が疫病を患い、民衆は死に尽くした）などという悲痛な報告が寄せられました。このとき流行した疫病については、ペストであったとか、赤痢であったとかいわれていますが、死亡率の高い疫病であったことはたしかでしょう。長岡京と平安京という２つの首都建設のための長い労働徴発と、東北地方の蝦夷攻略のための兵士徴発で疲れ切っていた民衆に、危険な疫病のウイルスが襲いかかってきたのです。

中国からウイルス侵入か

『新唐書』という中国の正史には、「元和元年夏、浙東大疫、死者太半」（元和元〔806〕年の夏、浙東で大きな疫病があり、大半の人が死亡した）と書かれています（巻36、五行志3）。浙東とは揚子江下流の南側地域のうち、浙江（銭塘江）の東岸地域をさします。中国の元和元年は日本の大同元年にあたるので、平城天皇の治世がはじまると同時に中国で大きな疫病が発生していたのです。おりしも元和元年の夏には、日本から唐に留学していた空海と橘逸勢が帰国の途次、中国の越州（今の紹興）に滞在していました。空海は同年2月に都の長安を出立し、3月には越州に入って唐人と交流し、4月には越州で書籍の収集にあたっています。2人が日本に向けて出航するのは8月のことです。越州は疫病が流行していた浙東の中心地でしたから、空海たちはこの年の夏の疫病大流行に遭遇したはずで、空海らの帰国船が疫病のウイルスを日本に運んだことも考えられます。そういえば、空海は帰国後も平安京に入ることを許されず、3年間ほど大宰府の観世音寺に足止めをくらっていました。その理由は不明でしたが、空海をはじめとする帰国者一行は疫病との関係で隔離されていたという可能性もあるかもしれません。

平城京への遷都計画

大同年間の疫病流行に遭遇した平城天皇は若いときから病弱で、早良親王の祟りといわれる風病（風の毒に冒されて起きるとされた病気）に悩まされていました。このため、平城天皇は約3年間の統治のあと、大同4（809）

年4月に嵯峨天皇に譲位して上皇となります。譲位後の平城上皇は転地療法のため平安宮内で住まいを移したあと、新たな宮地を摂津国の豊島野・為奈野（大阪府豊中市・兵庫県伊丹市付近）に探索させますが、結局は旧都の平城宮に移ることとし、大同4年12月には水路で平城宮に入りました。翌年の弘仁元（810）年9月、上皇は突然、平城遷都の命令を出し、嵯峨天皇やその朝廷を驚かせます。嵯峨天皇は上皇の背後にいた藤原薬子とその兄仲成を追放する命令を出し、伊勢方面へ向かった上皇一行を拘束しました。上皇は出家し、薬子は自殺したため、平城遷都は実現せずに終わります。これを薬子の変と呼びます。

この平城上皇による平城遷都命令は不可解な出来事であり、その動機を推し量ることは困難でしたが、大同年間に疫病が流行し、とくに大同3年に平安京を中心に感染爆発が起こったことを想起すると、平城上皇は疫病の蔓延する平安京から脱出することを意図して、平城宮への遷都命令を出した可能性が高くなります（西本昌弘「平安遷都と疫病」『日本歴史』870、2020年）。聖武天皇が天平7年・9年に天然痘が流行したあと、平城京から脱出して恭仁京や紫香楽宮へ遷都したことと軌を一にするものといえるでしょう。このように、これまで不可解な遷都であると思われていた歴史上の出来事が、今回の新型コロナ流行を経て考えてみると、人口集中のため疫病感染を加速させる首都を避け、新たな地で疫病をやり過ごそうとする方策であった可能性がみえてきます。

100年近く大きな疫病流行を経験していなかったために、疫病がさまざまな局面で歴史を動かしたことを、私たちは長い間忘却していたといえるでしょう。

平安時代のインフルエンザ流行

平安遷都から69年後の貞観5(863)年、日本列島はインフルエンザの大流行に見舞われます。朝廷が編纂した最後の六国史である『日本三代実録』によると、前年の冬の終わりから貞観5年の1月にかけて、平安京および全国において「咳逆」が流行し、多数の死者が出たとあります。朝廷は例によって有名な神社に奉幣したり、宮中で大般若経を転読したりします。京内の貧民や病人には支援の品を贈っています。ここにみえる「咳逆」とは咳の止まらない病気ですが、冬に流行がはじまり、多くの死者を出したところから、インフルエンザのことをさすとみていいでしょう。1月3日には大納言の源定が49歳で、1月25日には同じく大納言の源弘が52歳で亡くなっています。この年の1月には貴族の死者が9人にのぼっており、感染の深刻さを実感させます(西本昌弘「神泉苑御霊会と聖体護持」原田正俊編『アジアの死と鎮魂・追善』勉誠出版、2020年)。

神泉苑で御霊会を開催

朝廷は5月25日に平安京内の神泉苑で御霊会を開催しました。御霊会とは政治的事件に連座して亡くなった人々の霊を慰めるために、読経・舞楽・芸能などを行い、人々に観覧させる行事です。御霊としてこのとき取り上げられたのは、早良親王・伊予親王・藤原吉子・藤原仲成・橘逸勢・文室宮田麻呂の6人で、彼らは無実の罪で亡くなったため、その魂が鬼となり、疫病をしばしば発生させるとして、その慰霊が行われたのです。とくに仏教の思想では、非業の死を遂げた人物の霊は苦悩しているから、読経などによって苦を解いてやることで、彼らが疫病を起こす疫神となることを防止すると考えられていました。読経や舞楽・芸能によって御霊を慰めているのは、そうした思想的背景があるのです。

神泉苑は平安宮の南東に接する位置にあった広大な庭園で、平安遷都のさいに造られました（図2）。ここでは天皇を迎えて宴会や遊猟が盛大に催され、祈雨や馬揃えも行われました。普段は一般人が立ち入ることはできませんでしたが、御霊会のさいには神泉苑の4つの門が開放され、都の人々が出入りし、行事を参観することが許されました。神泉苑で御霊会が行われたのは、貞観5年の一度だけですが、その後、御霊会と称する行事は平安京郊外の北野・今宮・祇園などで行われ、とくに祇園御霊会はのちに祇園祭として日本を代表する祭礼として発展していきます。祇園祭も本来は祇園御霊会と称していたので、やはり疫病を起こす疫神を慰霊するための祭りであったとみていいで

図2　**神泉苑復原図（弘仁頃）**

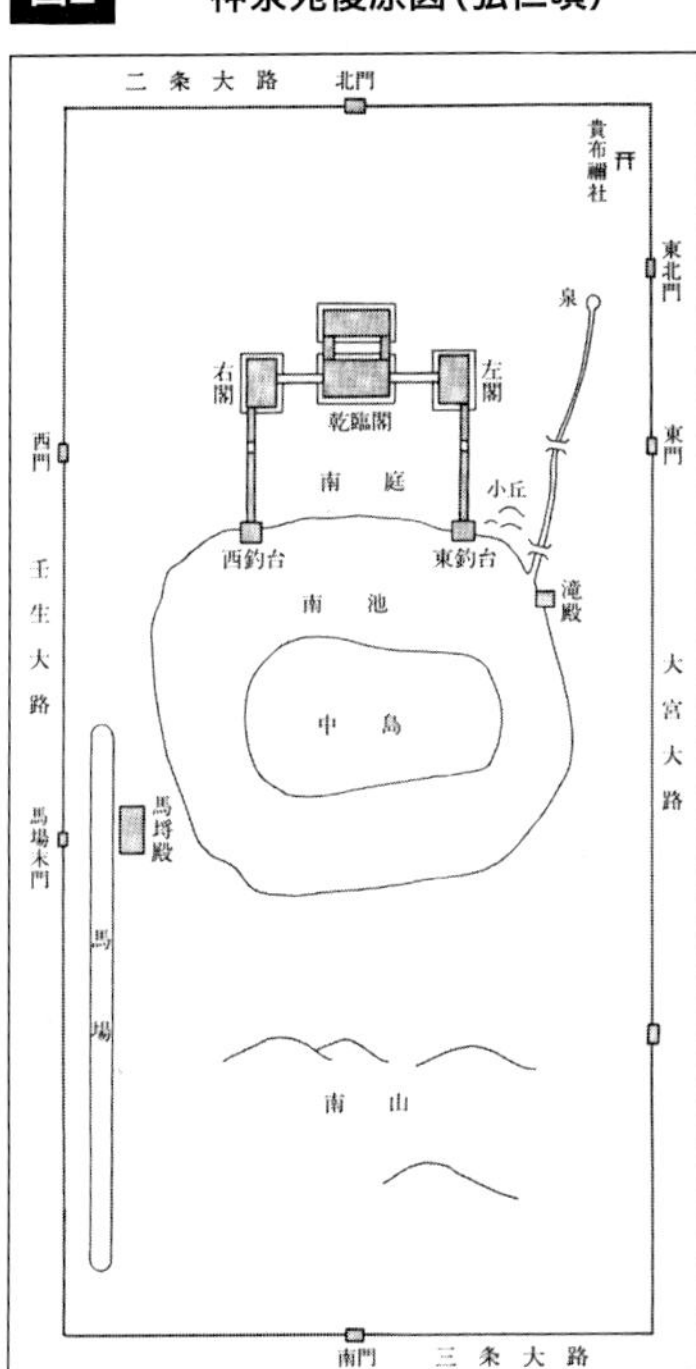

出典：太田静六『寝殿造の研究』（吉川弘文館、1987年）64ページ

しょう。

御霊会の背景

貞観5年に御霊会が開催された理由について、日本史学の分野ではさまざまな意見が出されてきました。たとえば、平安時代に入ってからの政変を通して、藤原氏の北家(ほっけ)が繁栄の道を歩んだため、この過程で失脚した人々を慰霊することで、幼帝である清和天皇の成長を祈念し、北家主導体制の安泰を願うために実施したとするものです。このような見方は大枠としては認められますが、政治史的な観点を重視するあまりに、疫病対策としての考察が不十分である点が気にかかります。

貞観5年の春から夏にかけての貴族の死者数に注目すると、1月には大納言2人を含む9人、4月には1人、5月には2人が亡くなっています。神泉苑で御霊会が開催された5月25日は、新暦に換算すると、7月初旬にあたります。現在の感覚でいうと、7月初旬というのは夏のはじめの季節になりますので、インフルエンザに感染して死亡する人数が減少したため、御霊会が行われたと考えることができるのではないでしょうか。神泉苑が屋外の広大な庭園であったことを思うと、人々を屋外で行われる舞楽や芸能に誘い、日常活動を積極化させることをうながす意味をもったと推定できるのです。コロナ禍のなかで、感染抑制策と経済振興策の2つを調整しながら、疫病対策を進める必要性が求められましたが、神泉苑御霊会はどちらかといえば経済振興策に近い意味合いで実施されたものと思われます。

疫病と祭礼

平安時代には都の近郊でさまざまな御霊会が開かれましたが、それらも多くは疫病対策として行われたものでした。正暦5（994）年6月には船岡山で疫神のために御霊会を行い、長保3（1001）年5月には紫野で疫神を祭る御霊会が催されました。これが今宮祭の起源といわれています。祇園祭も本来は祇園御霊会と呼ばれており、八坂神社の社伝では、貞観11（869）年に疫病が流行したので、66本の矛を並べて祭ったのが起こりとされていますす（ただし、たしかな史料では10世紀後半にはじめて祇園御霊会が確認できます）。葵祭として有名な賀茂祭も、伝承では神の祟りで風雨の災害が起こったために、4月吉日に馬を走らせる行事がはじまったとされています（『本朝月令』）。日本の代表的な祭礼がこのように疫病や災害が起こったために、その対策として実施されたと伝えられていることは注目されます。年中行事となった祭礼の多くは旧暦の4月末から6月、今の感覚でいうと夏場に行われましたが、疫神を祭って疫病を封じ込める意味合いと同時に、人々が屋外に集まり、積極的な経済活動を行うことをうながす意味合いが隠されているように思われるのです。

日本は伝染病記録の先進国

富士川游が1912年に著した『日本疾病史』は、古代から近世にいたる日本の疫病記録をまとめた世界に類例のない本です。この本が1969年に再刊されたときに、松田道雄が書き加えた解説は、この本の画期性を高く評

価するとともに、もととなる伝染病の記録が日本には豊富に残されていることを強調して、

中国をのぞけば、これほど古くから記録ののこっている「先進国」はない。

と述べています。たしかに、『日本疾病史』を繙（ひもと）くと、たとえば7世紀初頭の平城遷都の前後においても、和銅2（709）年には下総（しもふさ）国（千葉県）で、翌年には信濃（しなの）国（長野県）で疫病が起こり、朝廷は薬を支給して救護したことが書かれています。とくに『続日本紀』という歴史書には疫病のことが詳しく記されており、日本では7世紀以降の記録によって、伝染病の流行がかなり詳しく判明します。これだけ疫病の記録が残されている「先進国」は稀であり、疾病史に関わる世界の研究者によって注目されています。

その意味では、いつの時代にも記録を残すことの重要性を強調したいと思います。私たちの祖先は壊滅的な疫病流行のなかでも、疫病と果敢に闘うとともに、記録を後世に残してくれました。そうした記録のなかには、将来にわたって疫病を乗り越えるための手がかりが含まれています。実際に私たちの祖先は何度も恐ろしい疫病に襲われながらも、その度に生き延びてきたのです。

新型コロナの感染拡大のなかでは、日々の暮らしや仕事のやりくりに追われて、記録どころの騒ぎではないでしょうが、どこかの機関あるいは誰か個人が意識的に疫病の記録を残すことが大事になってくるのです。20年、30年後、あるいは100年後にコロナ禍を振り返ったときに、世界が日本の記録能力に舌を巻く時代がくることを願っています。

コロナ禍の歴史を作るための「コロナアーカイブ@関西大学」……………………菊池信彦

ポイント

- 「コロナアーカイブ@関西大学」はコロナ禍における関西大学の関係者の記録と記憶を後世に伝えていくためのデジタルアーカイブ。
- 個人の記録と記憶を「集める対象」とし、それらを自ら投稿してもらうという「集め方」に特徴がある。
- デジタルアーカイブを通じてコロナ禍の「歴史を作る」ということに参加してほしい。

はじめに―私たちは何を次世代に伝えていけるでしょうか

今この章をお読みの皆さんは、日本で初めて新型コロナウイルスの感染者が出たのはいつだったか、また、その時どのように感じたのか、覚えていらっしゃいますか？　私は2020年の1月の終わりごろだったような…というあいまいな記憶しかありません。また、その時何を思ったのかなどはもはや忘却の彼方になってしまっています。おそらくですが、自信をもっていついつにあったもので、これこれこういう考えだったと述べることができる方というのは少ないのではないでしょうか。近い過去のことは案外とすぐに忘れるものです。また、これまで人類が経験したことのない「新型」のウイルスであるがゆえに、その対処法をめぐっては様々な、そして真贋入り混じった議論が日々出てきては消えていきました。私たちはその時々で一喜一憂し、また、その記憶も思いもすぐに忘れて新しいものに塗り替えられていく、そのような毎日を過ごしてきたのではないでしょうか。

けれども、そのような記憶をあっさりと忘れていってしまってよいのでしょうか。もちろん情報過多の今の時代に、私たちが日々の出来事や思いを記憶し続けることなど不可能です。その時々の出来事や思いをSNS（会員制交流サイト）へアップロードし、そしてそれぞれが抱えていた荷を下ろしていくことで、コロナ禍を生きている。決してそれが悪いわけではない。ですが、いずれ来る私たちの後の世代の視点から立てば、私たちが生きているコロナ禍のこの時代は紛れもなく歴史的に振り返って検証されるはずです。その時、私たちは何を次世代に伝えていけるでしょうか。そして、そのために何ができるのでしょうか。

この章でご紹介する筆者らの取り組みは、コロナ禍における関西大学の学生や教職員といった関係者の記録と記憶を後世に伝え、残していくために開発した「コロナアーカイブ@関西大学」(URL：https://www.annex.ku-orcas.kansai-u.ac.jp/s/covid19archive/page/covidmemory)というデジタルアーカイブプロジェクトです。この「コロナアーカイブ@関西大学」を題材に、歴史を作るということを考えるきっかけとなれば幸いです。

ちなみに、冒頭で挙げた「日本で初めて新型コロナの感染者が出たのはいつか」という問題の答えは、2020年1月16日です。この日、中国の武漢滞在歴のある方の発症の報告がありました。このときの厚生労働省の報道発表資料によると、「現時点では本疾患は、家族間などの限定的なヒトからヒトへの感染の可能性が否定できない事例が報告されているものの、持続的なヒトからヒトへの感染の明らかな証拠はありません」とあり、もはや隔世の感があります。

コロナ禍の2020年はデジタルアーカイブの記念の年

本題に入る前に、そもそもデジタルアーカイブとはなにかについて見ていきたいと思います。近年、様々なところで「デジタルアーカイブ」という言葉が使われるようになってきましたので、どこかで見聞きされたことがあるかもしれません。デジタルアーカイブとは、本や雑誌・新聞、公文書そして文化財などをデジタル化して（つまり、画像や3Dデータなどにして）、インターネット上でいつでもどこからでも利用できるようにするためのウェブサイトです。また、デジタル化することによって原資料に替えて利用できますので、原資料の保存にも役立ちます。この定義はごくおおざっぱなものですが、とりあえずはそのようなものとお考えください。

図1 ジャパンサーチのトップページ（一部）

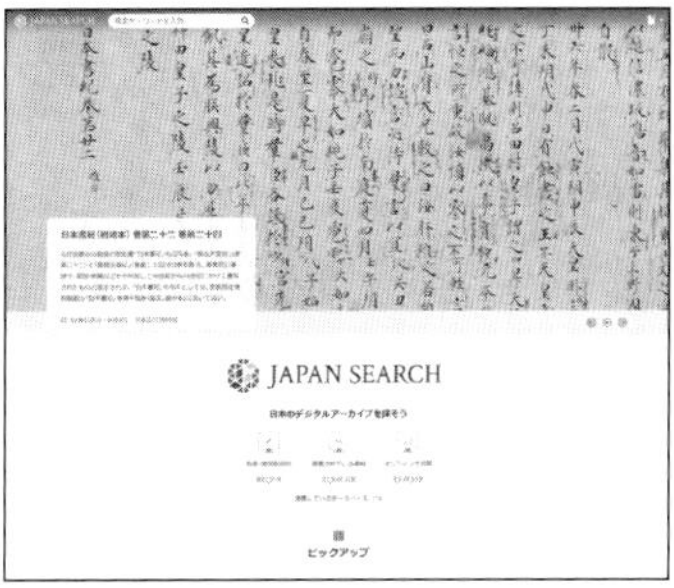

出典：https://jpsearch.go.jp/

実はコロナ禍の2020年は、日本のデジタルアーカイブ業界にとっては一つの記念すべき年となりました。それが、国立国会図書館の開発した「ジャパンサーチ」の正式公開でした（**図1**）。ジャパンサーチとは、国内の図書館や博物館、美術館、公文書館などの文化機関が公開している資料画像のコレクションをワンストップで検索・閲覧できるポータルサイトです。このようなポータルサイトは、これまでヨーロッパ諸国によるEuropeanaやアメリカのDigital Public Library of America（米国デジタル公共図書館）などが先行していました。ジャパンサーチも「日本版Europeana」とな

図2 Cultural Japanの
セルフミュージアム機能で作成した展示室

出典：https://cultural.jp/

ることを目指して開発が続けられたもので、ようやく２０２０年に正式公開されたわけです（ただし、ベータ版は２０１９年に公開済み）。ジャパンサーチは、国内３００万点以上のオンライン資料を閲覧できるポータルサイトとして、文字通り「日本を検索する」ための窓口となっています。

また、２０２０年のデジタルアーカイブ業界の話題としてはもうひとつ、「Cultural Japan（カルチュラルジャパン）」のリリースも忘れてはなりません（図2）。Cultural Japanはジャパンサーチとは異なり、日本「文化」に関わるコンテンツを扱うことに特化し、そして日本だけでなく世界のデジタルアーカイブを検索対象にしているということに特徴があります。さらに、ジャパンサーチと比してやや研究寄りな実験的ともいえる各種サービス――例えばデジタルアーカイブの画像を使って自分だけのオリジナルなミュージアムを作ることのできるセルフミュージアム機能（図2）など――を提供しています。デジタルアーカイブの基本的な機能である検索と閲覧に加えて、それらの提供データの利活用を進めるための機能もあり、今後の日本のデジタルアーカイブの道を示すベストプラクティスと言えるでしょう。

けれども、筆者らが取り組んでいるコロナアーカイブ@関西大学は、これら二つの事例で紹介したようなデジタルアーカイブとは少し異なる取り組みなのです。いくつか理由がありますが、それを考えるうえでまずはコロナアーカイブ@関西大学について紹介していきたいと思います。

コロナアーカイブ@関西大学とは

繰り返しになりますが、コロナアーカイブ@関西大学とは、関西大学の関係者を対象に、コロナ禍における記録と記憶を投稿してもらうことでコレクション構築を行うデジタルアーカイブプロジェクトです（図3）。

コロナアーカイブ@関西大学は、２０２０年４月上旬から開発を始め、４月17日に公開を始めました。当初は、企画から開発、そして運営まで、筆者がボランタリーに一人で行っていましたので、始めた経緯もごく個人的なものでした。なお、２０２０年７月からは、関西大学による２０２０年度「新型コロナウイルス感染症（ＣＯＶＩＤ-19）の克服に関する研究課題（教育研究緊急支援経費）」に採択されたことで、筆者の所属する関西大学アジア・オープン・リサーチセンター（ＫＵ-ＯＲＣＡＳ）を中心とした共同研究「『コロナアー

図3　コロナアーカイブ@関西大学

出典：https://www.annex.ku-orcas.kansai-u.ac.jp/s/covid19archive/page/covidmemory

図4　マドリードのカジャオ広場

2020年2月12日 筆者撮影

出典：Wikimedia Commons（ライセンスはCC-BY-SA）。2020年3月22日Nemo氏撮影

カイブ＠関西大学』を核とした新型コロナウイルス感染症およびスペイン風邪の記録と記憶の収集発信プロジェクト」（研究代表・内田慶市）として進めています。

さて、開発経緯に話を戻しますと、次のような事情がありました。筆者は２０２０年２月半ばから後半にかけてスペインに史料調査で出張していました。この出張中と帰国後に見たスペインの街の様子の変化に強く印象を受けたということが、コロナアーカイブ＠関西大学を始めるきっかけのひとつになっています。

日本を出発する直前は、横浜でのクルーズ船の集団感染のニュースが出始めたころで、市中感染が広がる恐怖感でいっぱいでした。ですが、スペインの首都マドリードや北東部の地中海都市バルセロナを訪れると、2月だというのに20度ぐらいの暖かさで街中は観光客でごった返し、新型コロナ感染症などどこ吹く風という具合でした。けれども、帰国してしばらくするとスペインで感染者が急増したため外出禁止となり、あれほど混みあっていた街中に人が一人も映っていない様子をテレビのニュースを見て、ようやく筆者も「これはエライことになった」と思い至りました。上の**図４**の２つの写真は、どちらもマドリードの中心部にあるカジャオ広場を写したものです。**図４**左は筆者がスペインの出張中の２０２０年２月12日に撮影したもので、**図４**右はWikimedia Commonsで公開されている２０２０年３月22日付の写真です。２つの写真は向いている方向こそ異なるものの、ほぼ同じ地点の写真です。図4左では多くの人であふれていましたが、すでに外出禁止中となった図4右では警官以外誰もいません。筆者は、この変化に大きな衝撃を受けるとともに、世界が一変するような歴史的な出来事の渦中にいるのだとも実感したわけです。

この歴史的な転換点にあって、諸外国でコロナ禍を収集保存する活動が進展し始めたのも3月あたりからでした。このような活動は”Rapid Response Collecting“（あるいはCollectionとも）と呼ばれるもので、非常事態下にあって非常事態をアーカイブする活動として世界各国で進められていきました。国際パブリックヒストリー連盟(International Federation for Public History)という国際学術団体が中心となって、それらのアーカイブ活動の情報を可視化する取り組みを行っており、それによると世界で５００件を超す活動が続けられています(２０２０年12月現在)。コロナアーカイブ@関西大学の開発を始めたのも、このような世界各国におけるアーカイブ活動を知り、歴史研究者として、そして、デジタルアーカイブの研究者として無視できないと考えたからでした(ちなみに、「コロナアーカイブ@関西大学」という若干語呂の悪いネーミングを採用したのは、このような国内外の様々なアーカイブ活動のなかの一つの取り組みにすぎないという意味を込めています)。

そこでコロナアーカイブ@関西大学の開発に取り掛かったのですが、開発にあたっては、ルクセンブルク大学によるCovid-19 Memoriesとドイツのハンブルク大学などによるcoronarchivという、海外における2つの先行事例を参考にしました。いずれも「身近な資料を対象にすること」「ユーザ自身に投稿してもらうこと」に特徴があり、それらの特徴はコロナアーカイブ@関西大学でも継承しています。先ほどコロナアーカイブ@関西大学は、ジャパンサーチやCultural Japanとは異なるタイプのデジタルアーカイブだと紹介しましたが、この違いは「身近な資料を対象にすること」と「ユーザ自身に投稿してもらうこと」、つまり、集める対象と集め方という2つの観点から考えられそうです。

集める対象──個人の記録や記憶は歴史研究にとって極めて重要

まずは「集める対象」から考えてみましょう。

コロナアーカイブ＠関西大学は、コロナ禍における個人の記憶と記録を収集対象としています。では、なぜ個人の記録と記憶を残していくのでしょうか。そんなことをわざわざしなくても、本や新聞に書かれるので、2020年に新型コロナ感染症のパンデミック（世界的大流行）が起こったことは後世に十分伝わるのではないか、そのように思う方もいらっしゃると思います。確かにその通りです。コロナアーカイブ＠関西大学に対しては同じ歴史研究者からも意味のない活動だとして厳しい批判を受けたりもしました。

しかし、考えてみてください。今私たちを取り巻く情報やそれにまつわる思いが全てそのまま後世に残るということはあり得ません。一つは、仮に本や新聞に書かれたとしても、書くという工程を経ることによって書き手の主観が入るということ。2つ目は、残すという選択を経たものが残るのであって、必ず残さない／残らない資料がありうるということです。SNS、例えばツイッターは世界最大の図書館であるアメリカ議会図書館でさえ、2010年に始めた公開ツイートの全件保存をあきらめ、2018年には選択的に残す方針へと切り替えています。ツイッター社のような私企業が永遠にデータを保存してくれるのであれば問題ないのでしょうが、SNSが100年後もそのまま利用可能になっている保証はありません。歴史と歴史学は望むと望まざるとにかかわらず様々な取捨選択のうえに築かれる営みなのです。

そして、このなかでも特に、人々の日常の記録や思いをとどめるような、例えば日記のようなものは残りにくく、そして、たとえ残ったとしても第三者が利用するには難しい資料になります。けれども、そのような日常の記録は歴史研究にとっては重要な役割を果たします。このことを、国際日本文化研究センターの磯田道史先生は『感染症の日本史』（文春新書、２０２０年、１５２ページ）のなかで、「パンデミックの歴史を研究していると、重要なものが欠けていることに気づきます。それは『患者史』、つまり患者の側から見た歴史です」と述べておられます。磯田先生は続けて、「感染症の実態を知り、対策を考えていこうとすると、患者側からの、個人のみた証言がきわめて重要」（同）だと指摘しています。そして、スペイン・インフルエンザ（スペイン風邪）の時期、つまり約１００年前の京都の中心部に住んでいた10代の女性、当時の日本の指導者、そして作家などの日記を史料として「患者史」をひも解き、歴史的教訓を引き出しています。

図5　**「手作りマスク」**

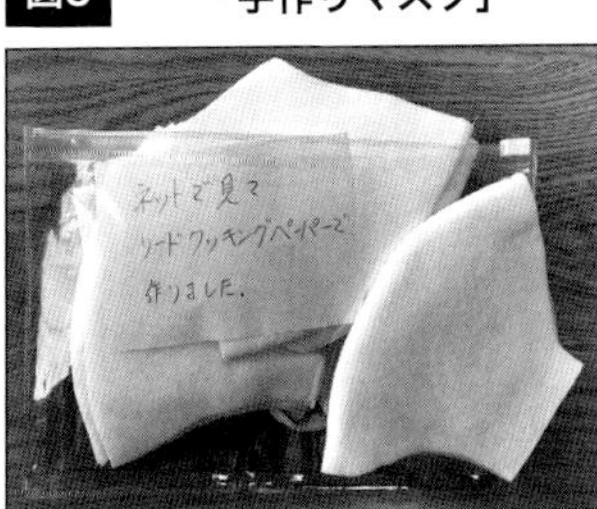

出典：コロナアーカイブ＠関西大学投稿資料

コロナアーカイブ＠関西大学からも一例を挙げてみましょう。**図5**をご覧ください。

実はこちらの写真は筆者が投稿したものです。在宅勤務中の4月16日に実家の母から届いた手作りマスクの写真です。当時はマスクが品薄になっていて、マスクの買い占めが起こったり、手ぬぐいをマスク替わりにする方法などがＳＮＳで話題になったりしました。この原稿を書いている２０２０年12月現在、マスクは巷であふれんばかりという状況ですので、マスクが品薄だった頃のことは、皆さんはうっすら忘れていたのではないでしょうか。もちろん２０２０年を生きる私たちにとってはマスクが品薄の頃は写真を見ればすぐに思い出せるでしょうが、１００年後の人々に対してコロナ禍におけるマスクの品薄状態やその混乱にどのように対処したのかを、どれほど伝えられるでしょうか。試みに１００年前のスペイン・インフルエンザの頃はどのように対処したのかが、現在にどれほど伝わっているかと考えてみるといかがでしょう。このような日常のなにげない記録も、歴史研究上、後々、重要な役割を果たすことにつながると考えられるでしょう。けれどもこのような記録は、往々にして図書館や公文書館などの公的機関の資料収集・保存の対象からは漏れていってしまいます。コロナアーカイブ＠関西大学のプロジェクトは、このような考えから、個人の記録や記憶を収集しているのです。

それでは、どのような資料が集められているかを次に見てみましょう。２０２０年12月14日現在、コロナアーカイブ＠関西大学の資料はほぼ写真ばかりで、全１３３点です（図６）。これは決して多いものではありませんが、その資料につけられているタグ（キーワード）の傾向から、大学の卒業式や入学式、遠隔授業等の新型コロナ対策、家庭や家

図6 コロナアーカイブ＠関西大学の投稿資料サムネイル群

族の様子などといった、関西大学というコミュニティを表現するものとなっています。

また、コロナアーカイブ＠関西大学では、Ｇｏｏｇｌｅフォームを活用した「記憶の収集」も進めています。こちらでは、関西大学の関係者に対して、コロナ禍の1年を振り返りつつ、「私生活の変化」や「学校生活の変化」、そして「社会の状況」などについて書いてもらうようにしています。開始数日で学部学生を中心に１００点以上の「記憶」が集まりました。これらの内容の分析や保存・公開は今後の課題ですが、緊急事態宣言下での遠隔授業の様子やアルバイトの様子などは、学生視点の生々しいコロナ禍の記憶のアーカイブとなっています。

これらの取り組みから、コロナアーカイブ＠関西大学は、コロナ禍において関西大学の関係者それぞれの個人がどのように対処し、何を考えたのかが後世からもうかがえるものになっていると評価できるでしょう。

ところで、個人の記録や記憶を収集しているということを少しメタレベルで、つまり「一歩引いた」立場で考えてみると、歴史を作るのは年表や教科書に載るような有名人や政治家だけではないということです。普通の人が歴史に果たす役割を無視してはならない。あなたを「普通」と言ったわけではありませんよ。大器晩成型の皆さんがこれから歴史的な偉業を成し遂げるのであれば、なおさら皆さんの記録と記憶は今後大きな意味を持ってくるはずです。ともかくも、有名人や政治家だけが歴史を作るのだ、というわけではないのです。

集め方―デジタルアーカイブを通じた「歴史」への参加を

「歴史を作るのはだれか」という先ほどの論点は、「集め方」というもう一つの論点にも関わってきます。

コロナアーカイブ@関西大学は、ユーザからの投稿によってコレクションを構築していくデジタルアーカイブだとお伝えしました。これは、そもそもコロナアーカイブ@関西大学が、「#StayHome」や「#家にいよう」などと叫ばれるなかにあって始めた取り組みであり、筆者一人で外に出て集めにいくのははばかられたために選択した方法だということもあります。ですが、それだけでなく、コロナ禍という歴史的な出来事をアーカイブしていくことに自発的に参加してほしいという意図もあります。

歴史を研究し、そして作るのは、歴史研究者の特権というわけではありません。歴史は本や雑誌はもちろん、テレビやマンガ、ゲーム、あるいは、博物館やテーマパークなど様々なところで日常的に触れるものであり、そのような機会に誰しもが歴史へと参加しているものです。このような歴史に関わる日常的なあらゆる行いのことを、歴史学では「歴史実践」と呼び、昨今重視されています。そして、アカデミアの外にいる普通の人々の歴史実践に、歴史研究者が積極的に関わっていくことは、「パブリックヒストリー」という研究分野として確立しつつあります。これが筆者らの研究領域にあたります。

パブリックヒストリーは、歴史学の営み＝史料を読んで、解釈して、成果としてまとめるという歴史研究の一連のプロセス＝をより拡張させるもので、アカデミアの外へと歴史学の成果の発信を行ったり、あるいは、一般の人々の歴史実践を分析したりします。そして、その中にはもちろん資料を残し伝えていくためのアーカイブ活動も含まれます。

昨今、公文書の改竄（かいざん）や記録の廃棄が話題に上ることが少なくありません。このような時代にあっては、後世の検証に堪えるような資料／史料を残すということについて危機感を感じる方も多いだろうと思います。しかし、その役目はただその担当者だけに委ねるのではなく、このコロナ禍の時代を生きている皆さん自身が、公文書などとは別の形で記録と記憶を残すことが可能です。筆者らは、コロナアーカイブ@関西大学が、デジタルアーカイブを通じて普通の人々が「歴史を作る」ということに参加するためのプラットフォームだと考えています。コロナアーカイブ@関西大学の投稿者は関西大学の関係者を主な対象としていますが、学外者であっても投稿していただけます。ぜひコロナ禍のアーカイブ活動という歴史実践へご参加ください。

おわりに―アフターコロナへ残したいもの

この章では、筆者らのコロナアーカイブ@関西大学の取り組みについて紹介してきました。デジタルアーカイブの記念の年となった２０２０年に筆者らが始めたコロナアーカイブ@関西大学は、世界各国での同様のアーカイブ活動の流れに棹差すものです。コロナアーカイブ@関西大学の「集める対象」と「集め方」という２つの特徴は、どちらも歴史学で重視されているテーマや研究分野を背景にしています。そして、それはどちらも歴史を身近なものにしていくための試みにほかならないものです。

おそらくコロナ禍が過ぎると、経済回復のなかでコロナ禍の２０２０年は程度の差こそあれ人々の記憶から忘れ去られていくでしょう。それはかつてスペイン・インフルエンザの後がそうであったようにです。しかし、たとえ忘却されていくにせよ、非常事態におけるデジタルアーカイブの経験は、そこで集めた記録と記憶とともに、後世へとつなげていきたいと考えています。

出版経緯—あとがきに代えて

けったいなタイトルの本ができあがりました。とはいえ、決して奇をてらったわけはありません。これがまさにこの本の出版経緯そのものであり、この本の意義だと思っています。あとがきに代えて、詳細を記しておきたいと思います。

関西大学社会安全学部では、2020年4月から産経新聞社の協力を得て、梅田キャンパスで一般向けのセミナーを開催する予定でした。まだ新型コロナウイルスが発生する以前に企画されたもので、例えば2020年7月に開催されるはずだった東京オリンピックの危機管理とか、そんな話題のセミナーになる予定でした。しかしながら、皆さんご承知の通り、2020年4月7日に緊急事態宣言が発出され、いつ宣言が解除されるのかもわからず、このセミナーの企画は宙に浮いてしまいました。

もちろん、私たち教職員にとっても当時はセミナーどころではありませんでした。新入生を迎え活気あふれるはずのキャンパスは閉鎖され、学生の姿は消えてしまいました。他方で大学教員は春学期の授業を開始すべく、オンライン教材を作成したり、にわかユーチューバーよろしく講義動画を作成したりなど、慣れない作業に忙殺されました。それでも、教職員が一体となった努力の結果、関西大学は2週間遅れてではありますが、オンラインで新学期を開始することができました。これは日本の大学の中でも、かなり早い対応だったのではないかと思います。

オンライン講義をやってみての私の感想は、これは意外と使える、というものでした。面白かったのは、実家から講義に参加する学生や、帰国して母国から参加している留学生も多数いたことです。講義において、これまで決定的であった空間という制約がほぼ完全に取っ払われたわけです。

そこで、前述のセミナーの企画を担当していた私は、オンラインでセミナーを実施することを提案しました。テーマはもちろん、誰もが深い関心を寄せている新型コロナです。私が所属する社会安全学部は、私も含め危機事象を対象として研究している教員が多く、あっという間に企画が固まり、緊急事態宣言真っ只中の4月21日に第1回のセミナーを実施しました。期待通り日本中から聴講希望者が殺到し、定員500人の枠がわずか数日で埋まりました。5月15日までに合計4回のセミナーを実施し、いずれも好評のうちに終わることができました。当時は社会全体がウイルスの感染拡大を恐れ一斉に自粛モードにあった時期でしたが、その中にあって、デマや風評の問題、経済の問題など幅広いテーマから新型コロナの課題をいち早く提起できたことは、一つの成果だったと思っています。

一つの学部だけでこんな刺激的なセミナーができるんだったら、関西大学全体でやったら、もっとすごいものができるのではないだろうか。そう思い、元副学長の安部誠治教授に相談したところ、わずか数日の間に全学的な体制を整えてくださいました。次はセミナー講師の人選です。関西大学には740人もの教育職員がいます。このような思いつきの企画に乗ってくださる方を探すのは難航するかと思いましたが、新型コロナ関連で学内研究費の公募を行っていたこともあり、こちらの人選もあっという間に済んで、ほとんどの先生方が快く登壇を引き受けてくださいました。そうやって、10月20日〜11月30日までの間に4回のオンラインセミナーを開催し、こちらも好評のうちに無事終了することができました。

毎回のセミナーの打ち合わせは非常に簡単なものでした。前日に出演者でリハーサルをやって、その場でいくつか論点整理をします。そうやって翌日には本番に入るわけですが、たった1回の打ち合わせでも、講師の先生方の思考がさらに深まっていたりして、予定した論点から逸脱することもしばしばでした。さらに回を重ねてくると、常連さんや、かなりハイレベルな知識を持った方がセミナーの中で本質的な質問を投げかけてくるようになりました。そうしたこともあって、登壇した先生方は皆、私も含めて、このセミナーに大いなる知的興奮を感じておりました。

かように、この小さな書籍の中には、私たち関西大学の教員がコロナ禍で「いろいろ考えた」成果が詰まっています。学部を超えたセミナーをオンラインで開催するのは、関西大学でも初めての試みですし、ましてやそれを本にするのも初めてのことですが、多くの教職員の協力で、あれよあれよという間にここまでたどり着いてしまいました。手前味噌で恐縮ですが、このノリと勢いの良さ、そしてチームワークは、関西大学が誇るべき組織文化だと思っています。

このあとがきを書いている時点で、我が国には新型コロナウイルスの第3波が到来しています。我が関西大学も警戒のレベルを再び引き上げることを余儀なくされました。2020年9月から対面講義も再開していますが、大人数の講義は相変わらずオンラインのままで、かつてのような活気溢れるキャンパスが帰ってくるのは、まだ当分先のことと思います。あるいは、そのようなキャンパスはもはや過去のものになってしまうのかもしれません。それは、学生たちにとってだけではなく、私たち大学人にとっても非常に残念なことです。

しかし、どのような時代であっても、私たちは「考える」ということはできます。たとえ対面の機会が奪われようとも、人間の知的な営みそのものは何一つ制約されるものではありません。むしろこうした困難の中だからこそ、新しい時代を切り拓くために「知」に求められるものは大きく、大学の役割もますます重要になってくるでしょう。この本が、そうした大学への期待に応える第一歩となれば、これ以上の喜びはありません。

なお、セミナーの企画運営にはじまり、本書の出版に多大なご協力を賜りました産経新聞社には心より御礼申し上げます。とりわけ、産経編集センター取締役大阪代表佐藤泰博氏、東京本社編集局科学部長大谷卓氏、大阪総局長内田博文氏、編集企画室開発担当部長の田井東一宏氏、企画担当部長の広瀬一雄氏には、セミナー当日の運営も含めて大変にお世話になりました。打ち合わせだけでなく、セミナー本番でも様々な議論を投げかけていただき、大いに刺激を受けました。メディアの視点からの鋭い指摘は、セミナーおよび本書の質を高める上で不可欠なものでした。

編者を代表して

2021年1月12日

関西大学社会安全学部教授　永松伸吾

本取り組みのうち以下の章については、2020年度関西大学教育研究緊急支援経費を受け、その成果を公表するものである。

第2章・インフォデミック　その光と闇を見晴るかす（近藤誠司）
（土田昭司・元吉忠寛・近藤誠司）　課題名「新型コロナウイルス感染症とその対策にかかる社会における情報流通の問題点と市民の行動：国際比較も視野に入れて」（研究代表者・土田昭司）

第3章・2020年8月、日本で人々はどう行動したか（土田昭司）
（土田昭司・元吉忠寛・近藤誠司）　課題名「新型コロナウイルス感染症とその対策にかかる社会における情報流通の問題点と市民の行動：国際比較も視野に入れて」（研究代表者・土田昭司）

第4章・数理モデルで新型コロナウイルスを探ってみた（和田隆宏）
課題名「数理モデルによる新型コロナウイルスの感染性の探求」（研究代表者・和田隆宏）

第5章・国や自治体の新型コロナウイルス感染症災害への危機管理をどう見るか？（越山健治）
課題名「COVID-19における日本の対策本部活動状況の資料分析」（研究代表者・越山健治）

第6章・東南アジアの新型コロナ事情ー世界経済復興の核となるか（小井川広志）
課題名「東南アジア諸国におけるコロナ対応と世界経済復興の役割に関する研究」（研究代表者・小井川広志）

第7章・コロナ禍の歴史を作るための「コロナアーカイブ@関西大学」（菊池信彦）
課題名「『コロナアーカイブ@関西大学』を核とした新型コロナウイルス感染症およびスペイン風邪の記録と記憶の収集発信プロジェクト」（研究代表者・内田慶市）

新型(しんがた)コロナで世(よ)の中(なか)がエライことになったので関西大学(かんさいだいがく)がいろいろ考(かんが)えた。

2021年4月20日　初版第一刷発行
著　　者：関西大学編
企画・編集：産経新聞社
発 行 者：杉田宗詞
発 行 所：図書出版 浪速社
〒540-0037
大阪市中央区内平野町2丁目2-7-502
電話：06-6942-5032（代表）
Fax：06-6943-1346
印刷・製本：サンケイ総合印刷株式会社

ISBN978-4-88854-535-8